A UTOPIA
ou
O tratado da melhor forma
de governo

Tomás Morus

A UTOPIA
OU
O tratado da melhor forma de governo

Tradução de Paulo Neves

Coleção **L&PM** POCKET, vol. 76

Texto de acordo com a nova ortografia.

Primeira edição na Coleção **L&PM** POCKET: 1997
Esta reimpressão: outubro de 2019

Tradução: Paulo Neves
Capa: Ivan Pinheiro Machado sobre tela de Hans Holbein (1497/98-1543), *Retrato de Tomás Morus* (1527), The Frick Collection, Nova York.
Revisão: Cintia Moscovich, Delza Menin, Renato Deitos e Guilherme Braga

---

M836u

Morus, *Sir* Tomás, Santo, 1478-1535
    A utopia / Tomás Morus; tradução de Paulo Neves – Porto Alegre: L&PM, 2019.
    160 p ; 18 cm – (Coleção L&PM POCKET; v.76)

    ISBN 978-85-254-0673-6

    1. Política. I.Título. II. Série.

CDD 320
CDU 32

Catalogação elaborada por Izabel A. Merlo, CRB 10/329.

© da tradução, L&PM Editores, 1997

Todos os direitos desta edição reservados a L&PM Editores
Rua Comendador Coruja, 314, loja 9 – Floresta – 90.220-180
Porto Alegre – RS – Brasil / Fone: 51.3225.5777

Pedidos & Depto. comercial: vendas@lpm.com.br
Fale conosco: info@lpm.com.br
www.lpm.com.br

Impresso no Brasil
Primavera de 2019

Sumário

A vida e *A Utopia* de Tomás Morus – *Paulo Neves* / 7
Prefácio de *O tratado da melhor forma de governo* / 9
Livro primeiro / 15
Livro segundo / 65

A VIDA E *A UTOPIA* DE TOMÁS MORUS

Paulo Neves

Nascido em Londres, em 1478, Tomás Morus foi contemporâneo da fase inicial do mundo moderno, época dos descobrimentos marítimos, da ascensão dos Estados nacionais e de conflitos religiosos. Advogado de formação humanista, estudioso do grego e amigo do teólogo Erasmo de Rotterdam (que lhe dedicou, em 1508, seu *Elogio da Loucura*), buscou conciliar uma vida ascética de cristão medieval e uma carreira política bastante ativa. Nomeado membro do conselho secreto por Henrique VIII, em 1518, acompanhou o rei enquanto este defendeu a Igreja Católica contra a Reforma, mas abandonou o cargo por discordar do divórcio do soberano. Em 1534, tendo se recusado a prestar juramento ao rei como chefe supremo da Igreja da Inglaterra, foi preso e executado no ano seguinte. Canonizado pela Igreja Católica em 1935 (sua data é festejada em 6 de julho), Morus teve a particularidade de ser cultuado também pela Revolução Russa, que lhe erigiu uma estátua em homenagem às ideias socialistas de sua *Utopia*.

Esta obra, editada em latim, em 1516, com o título *De optimo reipublicae statu decque nova in-*

sula Utopia, descreve um Estado imaginário sem propriedade privada nem dinheiro, preocupado com a felicidade coletiva e a organização da produção, mas de fundamento religioso. Seu modelo é a *República* e as *Leis* de Platão. Na verdade, trata-se de uma crítica à situação social da Inglaterra que, na época, começava a pôr em prática o cercamento dos campos, agravando a miséria dos camponeses. Além de lançar as bases do socialismo econômico, Morus, que cunhou a palavra utopia (literalmente o não-lugar, o lugar de nenhum lugar), deu início a um gênero literário que faria fortuna nos séculos seguintes, desde a *Nova Atlântida* de Francis Bacon e *A Cidade do Sol* de Campanella até os escritos dos socialistas do século XIX, chamados utópicos.

Prefácio de
O tratado da melhor forma de governo

Tomás Morus a Pierre Gilles*, saudações.

Não é sem alguma vergonha, caríssimo Pierre Gilles, que lhe envio este pequeno livro sobre a república de Utopia após tê-lo feito esperar cerca de um ano, quando certamente você contava recebê-lo em seis semanas. Com efeito, você sabia que, para redigi-lo, eu estava dispensado de todo esforço de invenção e de composição, tendo apenas que repetir aquilo que, em sua companhia, ouvi Rafael expor. Tampouco precisava cuidar da forma, pois esse discurso não podia ser elaborado, tendo sido improvisado por um homem que, de resto, como você também sabe, conhece o latim menos bem que o grego. Quanto mais minha redação se aproximasse de sua familiar simplicidade, mais ela se aproximaria da exatidão, que deve ser e que é minha única preocupação nessa tarefa.

Reconheço portanto, meu caro Pierre, que todas as circunstâncias me facilitavam o trabalho, a ponto de não me restar muito a fazer. Seguramente, se eu tivesse de inventar o que segue ou colocá-lo em for-

---
* Pierre Gilles – Amigo de Morus e editor de Antuérpia, que se encarregou da 1ª edição de A *Utopia*, em 1516.

ma, mesmo um homem inteligente e instruído teria necessitado tempo e estudo. Se me tivessem pedido um relato não apenas exato mas elegante, eu jamais o faria, por mais tempo e zelo que dedicasse a isso.

Livre dos escrúpulos que me teriam custado tanto trabalho, cabia-me simplesmente consignar por escrito o que tinha ouvido, o que é quase nada. Entretanto, para terminar esse nada, minhas ocupações me deixam, como tempo livre, menos que nada. Tenho de advogar, ouvir pleiteantes, pronunciar pareceres e julgamentos, receber uns por conta de minha profissão, outros por conta de minhas incumbências. Passo toda a jornada na rua, ocupado com os outros. Dou aos familiares o resto de meu tempo. O que sobra para mim, isto é, para as cartas, é pouco mais que nada.

Ao retornar para casa, com efeito, devo conversar com minha mulher, tagarelar com as crianças, entender-me com os empregados. Incluo essas coisas como ocupações porque elas devem ser feitas (se não quisermos ser um estranho em nossa própria casa) e porque é preciso manter um relacionamento o mais agradável possível com os companheiros de vida que a natureza ou o acaso nos deram, ou que nós mesmos escolhemos, sem chegar todavia a mimá-los por excesso de familiaridade e a transformar os servidores em mestres. Tudo isso consome os dias, os meses, o ano. Quando escrever? E não falei do sono, nem das refeições, às quais tantas pessoas dedicam tantas horas quanto ao próprio sono, que por sua vez devora mais da metade da vida. O pouco tempo que consigo reservar-me subtraio-o ao sono e às refeições. Como isso é pouco, avanço lentamente. E assim, aos poucos e apesar de tudo, terminei a

Utopia e a envio a você, caro Pierre, a fim de que a leia e, se esqueci alguma coisa, me faça lembrá-la. Não é sob esse aspecto que mais tenho a desconfiar de mim próprio (gostaria de poder contar com meu espírito e com meu saber, da mesma forma que conto até hoje com minha memória); mesmo assim não me julgo incapaz de esquecimentos.

Com efeito, eis-me mergulhado numa grande dúvida por meu jovem companheiro John Clement* que nos acompanhava naquela ocasião, você lembra, pois jamais o mantenho afastado de uma conversa da qual possa tirar algum proveito, pois tenho muita esperança de ver um dia essa jovem planta, nutrida com a substância das letras gregas e latinas, produzir frutos excelentes. Se bem me recordo, Rafael Hitlodeu nos disse que a ponte de Amaurota, que atravessa o rio Anidro, tem quinhentos passos de comprimento. Nosso John afirma que devem ser diminuídos duzentos, que a largura do rio não ultrapassa trezentos passos nesse local. Peço encarecidamente que faça um esforço de memória. Se estiver de acordo com ele, seguirei vossa opinião e me declararei em erro. Se não tiver certeza, irei ater-me ao que julgo lembrar. Pois minha principal preocupação é que não haja neste livro nenhuma impostura. Se subsiste uma dúvida, prefiro um erro a uma mentira, interessado menos em ser exato que em ser leal.

Você poderá facilmente tirar-me do apuro interrogando o próprio Rafael ou lhe escrevendo. E será obrigado a fazê-lo por causa de uma outra dúvida que nos vem. Terá sido por negligência minha, sua ou do próprio Rafael? Eu não saberia dizer. Com

---
* John Clement – Secretário de Morus e preceptor de seus filhos.

efeito, esquecemos de perguntar-lhe, e ele não pensou em nos dizer, em que parte do novo mundo está situada Utopia. Eu daria muito para resgatar esse esquecimento, pois me envergonho um pouco de ignorar em que mar se encontra a ilha a respeito da qual tenho tanto a dizer. Por outro lado, um amigo nosso, religioso, teólogo de profissão, arde de desejo – e ele não é o único – de ir a Utopia. O que o atiça não é uma vã curiosidade de conhecer o novo; ele gostaria de encorajar os progressos de nossa religião que felizmente lá se acha implantada. Como deseja fazê-lo dentro das normas, decidiu fazer-se enviar pelo Soberano Pontífice e mesmo a título de bispo dos utopianos, sem se deixar deter pelo escrúpulo de ter de implorar essa prelazia. Ele considera, com efeito, que uma ambição é louvável se ditada, não pelo desejo de prestígio ou de lucro, mas pelo interesse da religião.

Por isso solicito-lhe, caro Pierre, instar Hitlodeu, oralmente se possível, ou então por carta, a dar essa informação para que nada de inexato subsista em minha obra, para que nada de verdadeiro lhe falte. Pergunto-me se não seria preferível que ele lesse esta obra. De fato, seria a pessoa mais indicada para corrigir um erro, e ele não poderia sabê-lo se não leu o que escrevi. Além do mais, seria um meio de saber se ele vê com bons olhos o fato de eu ter redigido este texto ou se está descontente. Pois, se decidiu contar ele próprio suas viagens, talvez prefira que eu me abstenha. E por certo eu não gostaria, ao fazer conhecer o Estado utopiano, de retirar de seu relato a flor e o valor da novidade.

A bem da verdade, não estou ainda inteiramente decidido a empreender essa publicação. Os homens têm gostos diferentes; seu humor é às vezes tão desagradável, seu caráter tão difícil, seus julgamentos tão falsos que é mais sensato conformar-se e rir disso do que atormentar-se com preocupações, querendo publicar um escrito capaz apenas de servir e de agradar, quando ele será mal recebido e lido com desagrado. A maioria das pessoas ignora as letras; muitos as desprezam. Um bárbaro rejeita como grosseiro tudo o que não é francamente bárbaro. Os semiletrados desprezam como vulgar tudo o que não sobeja em termos esquecidos. Há os que amam somente o antigo. A maioria se compraz apenas com suas próprias obras. Um é tão austero que não admite uma brincadeira; outro tem tão pouco espírito que não entende um gracejo. Há aqueles tão fechados a qualquer ironia que um gracejo os faz fugir, como um homem mordido por um cão raivoso quando vê água. Outros são tão caprichosos que, de pé, deixam de louvar o que aprovaram sentados. Outros têm seus assentos nas tavernas e, entre dois tragos, decidem do talento dos autores, pronunciando condenações peremptórias conforme seu humor, desgrenhando os escritos de um autor como para arrancar os cabelos um a um, enquanto eles próprios se acham tranquilamente ao abrigo das flechas, os bons apóstolos, de cabeça raspada como lutadores que não deixam um pelo para o adversário pegar.

Há ainda aqueles tão ingratos que sentem um grande prazer em ler uma obra, mas ignoram o autor, como convidados sem educação que, generosamente servidos à mesa, retiram-se de barriga cheia sem uma palavra de agradecimento ao anfitrião. E vá então preparar às tuas custas um banquete para homens de paladar tão exigente, de gostos tão diversos, dotados de memória e reconhecimento igualmente variáveis!

Entenda-se com Hitlodeu, meu caro Pierre, acerca do que lhe peço, e então poderei retomar a questão desde o início. Se ele der seu assentimento, já que só percebi com clareza após ter terminado minha redação, seguirei, no que me diz respeito, o conselho de meus amigos e o seu em primeiro lugar.

Estejam bem de saúde, sua querida esposa e você, e conservem-me sua amizade. A minha por vocês só tem aumentado.

LIVRO PRIMEIRO

Discurso do sapientíssimo Rafael Hitlodeu sobre a melhor forma de governo, pelo ilustre Tomás Morus, cidadão e vice-xerife de Londres, célebre cidade inglesa.

O invencível rei da Inglaterra, Henrique, oitavo de nome, notável por todos os dons que distinguem um príncipe eminente, teve recentemente com o seréníssimo príncipe Carlos de Castela* uma desavença a respeito de questões importantes. Ele enviou-me a Flandres como porta-voz, com a missão de tratar e resolver esse assunto. Eu tinha por companheiro e colega o incomparável Cuthbert Tunstall, a quem o rei, em meio à aprovação geral, recentemente confiou os arquivos do Estado. Não o enaltecerei aqui, não por temer que recusem como insincero o testemunho da amizade, mas porque seu caráter e seu saber estão acima de qualquer elogio que eu pudesse fazer, demasiado conhecidos, demasiado célebres para que eu deva acrescentar-lhes

---

* Carlos de Castela – o futuro Carlos V. (N.T.)

alguma coisa, a menos que eu queira, como se diz, acender uma lanterna para fazer ver o sol.

Encontramos em Bruges, conforme o combinado, os mandatários do príncipe, todos homens eminentes. À frente deles se achava, figura imponente, o prefeito de Bruges; depois, boca e coração da delegação, Georges de Temsecke, preboste de Cassel. Sua fala é de uma eloquência ao mesmo tempo natural e cultivada; ele é excelente jurista e trata as questões como conhecedor do ofício cujo espírito penetrante é servido por uma longa experiência. Encontramo-nos uma ou duas vezes sem chegar a um acordo satisfatório sobre certos pontos, razão pela qual eles se despediram e foram a Bruxelas consultar o oráculo, saber a opinião do príncipe. Quanto a mim, nesse meio-tempo, fui a Antuérpia, onde tinha assuntos a tratar.

Recebi com frequência durante essa temporada, entre outros visitantes e bem-vindo entre todos, Pierre Gilles. Nascido em Antuérpia, ele desfruta nessa cidade de um grande crédito e de uma situação proeminente entre seus concidadãos; e de fato é digno da mais elevada posição, pois o saber e o caráter desse jovem são igualmente notáveis. É, de fato, alguém cheio de bondade e erudição, que acolhe a todos generosamente, mas, quando se trata dos amigos, com tanto ardor, afeição, fidelidade e sincera devoção que encontraríamos poucos homens comparáveis a ele em matéria de amizade. Poucos também têm sua modéstia, sua ausência de afetação, seu bom-senso natural, a mesma graça na conversação, o mesmo espírito com tão pouca malícia. Em suma, a doçura de sua presença, o prazer de sua conversação em muito aliviaram a saudade de minha pátria, de meu lar, de minha mulher e de meus filhos. E, no entanto, meu desejo de revê-los beirava a inquietude, pois eu partira havia mais de quatro meses.

Eu me achava um dia na igreja de Notre-Dame de Antuérpia, monumento admirável e sempre cheio de fiéis; havia assistido à missa e, terminado o ofício, preparava-me para voltar a meu alojamento, quando avistei Pierre Gilles conversando com um estranho, um homem bastante velho, rosto bronzeado, barba longa, uma capa negligentemente lançada sobre o ombro; seu aspecto e seus modos me pareceram os de um navegador. Assim que Pierre me viu, dirigiu-se a mim, saudou-me e, antecipando-se ao que eu ia dizer, puxou-me um pouco à parte, designando aquele com quem eu o vira conversar.

– Está vendo aquele homem? – disse. – Eu me preparava para levá-lo diretamente à sua casa.

– Ele teria sido muito bem-vindo – respondi –, recomendado por você.

– Recomendado antes por ele mesmo – replicou –, assim que você o conhecer. Não há ninguém no mundo que tenha tanto a contar sobre os homens e as terras desconhecidas; e sei que você é um dos mais curiosos sobre esse assunto.

– Ah, então não adivinhei tão mal, pois à primeira vista tomei esse homem por um capitão de navio.

– Nisso você está bem longe da realidade – ele observou. – Pois, se ele navegou, não foi como Palinuro*, mas como Ulisses ou, melhor ainda, como Platão**.

---

* Palinuro – O piloto de Eneias, na *Eneida* de Virgílio. (N.T.)

** Platão – Que viajou a Siracusa, onde pensava poder aplicar seus projetos de reformas políticas. (N.T.)

De fato, esse Rafael, pois assim se chama, sendo Hitlodeu seu nome de família, conhece bastante bem o latim e muito bem o grego, que ele estudou com particular cuidado, pois havia se dedicado ao estudo da filosofia e achava que nada de importante existe em latim nesse domínio, a não ser alguns trechos de Sêneca e de Cícero. Ele deixou a seus irmãos o patrimônio que lhe cabia em seu país, Portugal, e, desejoso de conhecer o mundo, juntou-se a Américo Vespúcio nas três últimas de suas quatro viagens, cujo relato hoje se lê quase em toda parte. Acompanhou-o continuamente, exceto na última viagem, quando não voltou com ele. A seu pedido, Américo o autorizou a fazer parte daqueles vinte e quatro que, no final da última expedição, foram deixados numa fortaleza. Permaneceu ali por vocação pessoal, como homem que se preocupa antes em correr mundo do que em saber onde será enterrado. Ele gosta de repetir estas frases: "Na falta de urna funerária, toda cinza tem o céu por mortalha" e "Para chegar aos deuses, de onde quer que se parta, o caminho é o mesmo"*. Opinião que lhe teria custado caro se Deus não o protegesse.

Após a partida de Vespúcio, ele percorreu uma série de países com cinco de seus companheiros de guarnição. Uma oportunidade extraordinária o levou até o Ceilão e depois a Calicut, onde não teve dificuldade de encontrar navios portugueses que o trouxeram de volta, contra toda esperança, a seu país.

Quando Pierre terminou seu relato, eu o agradeci por sua solicitude em apresentar-me a um homem

---

* Citações – Verso da Farsala de Lucano e frase atribuída a Anaxágoras, respectivamente. (N.T.)

com quem a conversação me seria proveitosa. Caminhei em direção a Rafael; saudamo-nos com palavras que convêm a um primeiro encontro e depois fomos até meu alojamento, onde, no jardim, sentados num banco sobre a relva, pusemo-nos a conversar.

Rafael nos contou de que maneira, após a partida de Vespúcio, ele e os companheiros que haviam permanecido na fortaleza entraram em contato com os nativos, deram-lhes presentes, estabelecendo relações não apenas pacíficas mas amistosas com eles, e conquistando as boas graças de um príncipe cujo nome e país esqueci. Graças à sua liberalidade, Rafael e seus companheiros foram largamente munidos de provisões e dinheiro, bem como de um guia seguro para conduzi-los durante a viagem que fizeram em jangadas, na água, e em carroças, por terra, e para apresentá-los a outros príncipes que eles abordavam devidamente recomendados. Após vários dias de viagem, haviam conhecido burgos, cidades, Estados bem administrados e muitos povoados.

De um lado e de outro da linha equatorial, numa extensão mais ou menos igual à da órbita que percorre o sol, há na verdade enormes desertos abrasados por um calor sem descanso. Tudo ali é árido e estéril, regiões medonhas e selvagens povoadas de feras e serpentes, de homens também, mas ferozes como animais e não menos perigosos. Mas, uma vez ultrapassada essa região, a natureza reencontra aos poucos uma certa doçura. O céu é menos inclemente, o solo cobre-se de um verde suave, os seres vivos são menos ferozes. Enfim aparecem povoados, cidades, burgos, relações contínuas, por terra e por mar, entre vizinhos e mesmo entre países muito afastados.

Foi assim que os seis companheiros puderam visitar, aqui e ali, uma série de países, pois todo navio que se preparava para zarpar em direção a um destino qualquer lhes permitia de bom grado que viajassem. Os primeiros barcos que viram tinham a carena plana, velas feitas de papiro costurado ou de varas de salgueiro trançadas, outras vezes de couro. Depois encontraram carenas arqueadas e velas de cânhamo; em suma, práticas semelhantes às nossas. Os marinheiros tinham a experiência do céu e do mar. Mas Rafael nos disse ter conquistado um grande prestígio ao lhes explicar o uso da agulha imantada, que eles ignoravam completamente até então. Por isso só se lançavam ao mar com extrema prudência e preferiam arriscar-se apenas no verão. Guiados pela pedra magnética, eles desafiam hoje os invernos, sem temor e mesmo temerariamente, e desse modo o que lhes prometia grandes vantagens corre o risco de tornar-se, por sua imprudência, a causa de grandes males.

O que Rafael nos contou ter visto em cada região seria muito longo para relatar e alheio ao propósito da presente obra. Talvez falaremos disso noutra parte, sobretudo das coisas que é útil não ignorar; por exemplo, em primeiro lugar, as sábias instituições que ele observou nos povos que vivem em sociedades civilizadas. Foi sobre essas questões que o interrogamos mais avidamente e que ele nos respondia com mais prazer, não perdendo tempo em descrever-nos monstros, que são tudo o que há de mais antiquado. Cilas, Celenos e Harpias vorazes, lestrigões canibais e outros prodígios medonhos do gênero, em que lugar não se encontram? Mas homens vivendo em cidades sabiamente governadas, eis o que não se encontra em qualquer lugar.

Seguramente, ele notou entre esses povos desconhecidos muitos costumes absurdos, mas também outros, bastante numerosos, que poderiam ser tomados como modelos para corrigir erros cometidos em nossas cidades, nossos países, nossos reinos. De tudo isso, repito, falarei noutra parte. Minha única intenção, hoje, é relatar o que ele disse dos costumes e das instituições dos utopianos; reproduzirei, todavia, a conversação que nos levou a mencioná-los.

Rafael nos havia lembrado com muita sabedoria erros cometidos entre nós ou alhures – numerosos, certamente, onde quer que seja –, mas também, eventualmente, medidas mais oportunas. Com efeito, ele conhecia as instituições e os costumes de cada país como se houvesse passado a vida inteira em cada uma das regiões que atravessou. Pierre lhe disse com admiração:

– Não entendo, prezado Rafael, por que você não se ligou à pessoa de um rei. Estou certo de que nenhum deixaria de o acolher com alegria, pois, com seu saber, com sua experiência dos países e dos homens, você haveria de encantar e também de instruir esse rei através de exemplos, ajudando-o com seu discernimento. Seria servir excelentemente seus próprios interesses e prestar um grande auxílio a todos os que o cercam.

– No que concerne à minha família – ele respondeu –, não tenho muito a me preocupar, pois creio ter cumprido razoavelmente meus deveres para com ela. Os bens aos quais os outros homens não renunciam antes de estarem velhos e doentes, e mesmo então com má vontade, e porque não são mais capazes de conservá-los, eu os distribuí a meus parentes e amigos quando gozava de boa saúde, ainda robusto e em plena vitalidade. Penso que eles devem estar satisfeitos com minha generosidade, sem exigir, e também sem esperar, que eu me coloque a serviço dos reis para agradá-los.

– Entendamo-nos – disse Pierre. – Eu gostaria de vê-lo prestar serviço aos reis, e não colocar-se a serviço deles.

– A diferença é mínima – ele respondeu.

– Chame-a como quiser – disse Pierre –; continuo a pensar que esse seria o verdadeiro meio de ser útil ao público, aos indivíduos, e de tornar sua própria condição mais feliz.

– Mais feliz – exclamou Rafael –, por um meio em completo desacordo com meu caráter? Vivo hoje à minha maneira, o que pouquíssimos homens no poder conseguem, tenho certeza. De resto, os que lutam para conseguir a amizade dos poderosos são bastante numerosos, e a perda não será grande por não contarem comigo e alguns outros da minha espécie.

Tomei então a palavra.

– É muito evidente, caro Rafael, que você não é ávido nem de riqueza, nem de poder; um homem que pensa como você me inspira, a mim, tanto respeito quanto o maior fidalgo. Parece-me, todavia, que seria algo digno de você, de seu espírito tão nobre, tão verdadeiramente filósofo, aceitar, mesmo à custa de um inconveniente pessoal, a utilização de seu saber e de sua experiência em benefício da coisa pública. E isso não poderia ser feito de maneira mais eficaz senão participando do conselho de um grande príncipe, a quem, estou certo de antemão, você daria opiniões conformes à honra e à justiça. Pois é do príncipe que emanam sobre o povo inteiro, como de uma fonte inesgotável, os bens e os males. Em você há uma ciência que poderia dispensar a experiência, e uma experiência que poderia dispensar a ciência, para qualificá-lo como um eminente conselheiro de um rei, seja ele qual for.

– Nisto, meu caro Morus, você se engana duas vezes – disse ele –; primeiro a meu respeito, depois sobre a coisa mesma. Não tenho as luzes que você me atribui; e, mesmo se as tivesse e sacrificasse meu repouso, isso não teria nenhum proveito para o Estado. Com efeito, a maior parte dos príncipes, quando não todos, concentra seus pensamentos muito mais nas artes da guerra (para as quais não tenho nem desejo ter nenhuma competência) que nas artes benfazejas da paz; e eles se interessam muito mais pelos meios, louváveis ou não, de adquirir novos reinos do que por aqueles de administrar bem sua herança. Por outro lado, entre os membros dos conselhos reais, todos têm suficiente sabedoria para não precisarem de uma opinião alheia, ou pelo menos se consideram suficientemente sábios para serem surdos à opinião de outrem. São as opiniões dos mais tolos que recebem sua aquiescência, suas lisonjas, contanto que aquele que as apresente goze do maior crédito junto ao príncipe, cujo favor eles esperam por sua aquiescência. Cada um se compraz com suas próprias ideias, é a natureza que decidiu assim. O corvo acha seus filhotes maravilhosos, e a visão do macaquinho encanta seus pais.

E se, nessa assembleia de pessoas ciumentas ou vaidosas, alguém vem propor, como fruto de suas leituras, uma medida tomada outrora, ou num outro país, ou ainda o que ele próprio constatou no estrangeiro, seus ouvintes se comportam exatamente como se toda a sua reputação de sabedoria fosse ameaçada, como se devessem doravante passar por tolos se não encontram de imediato uma razão para invalidar a opinião alheia. Na falta de outro argumento, recorrem a este: "O que preconizamos teve a aprovação de nossos antepassados; nada podemos fazer de melhor senão imitar a sabedoria deles". E tornam a sentar como se o problema tivesse sido perfeitamente resolvido. Será que é realmente temível descobrir, sobre um assunto qualquer, um homem mais avisado que nossos antepassados, quando justamente não damos a menor importância ao que eles fizeram de melhor, ao mesmo tempo que nos aferramos, sob pretexto de tradição, ao que poderia ser melhorado?

Foi com preconceitos desse gênero, ditados pelo orgulho, pela estupidez e pela teimosia, que me deparei frequentemente e, uma vez, na Inglaterra.

– O quê – disse eu –, você chegou a nos visitar?

– Sim, passei alguns meses lá, pouco depois que os ingleses do oeste, revoltados contra o rei, foram esmagados numa lamentável derrota. Contraí então uma grande dívida de reconhecimento para com o reverendo John Morton*, arcebispo de

---

* John Morton – Morus refere-se a um personagem real, à casa de quem foi confiado para sua educação na adolescência. (N.T.)

Canterbury e cardeal que, nessa época, era também chanceler da Inglaterra; um homem, meu caro Pierre, pois o que vou dizer Morus já deve sabê-lo, digno de respeito tanto por sua sabedoria e seu caráter quanto por sua elevada posição. Era um homem de porte médio, que não aparentava sua idade, já avançada; sua conversação era branda, embora cheia de seriedade e dignidade. Às vezes gostava de abordar um solicitador com alguma rudeza, sem má intenção, apenas para pôr à prova sua inteligência e sua presença de espírito. Esses dons, que eram os seus, lhe agradavam, contanto que neles não houvesse nenhuma insolência, e ele os apreciava como eminentemente próprios à condução das questões públicas. Sua linguagem era clara e precisa. Tinha um grande conhecimento do direito, uma inteligência ímpar, uma memória prodigiosa. Esses belos dons naturais haviam sido desenvolvidos pelo estudo e pelo exercício. No momento de minha visita, o rei depositava visivelmente a maior confiança em suas opiniões, sobre as quais o Estado se apoiava em grande parte. Convém dizer que, desde sua primeira juventude, ao sair da escola, ele fora enviado à corte, havia passado a vida inteira lidando com questões públicas importantes e, constantemente sacudido pelas ondas alternantes da fortuna, havia adquirido nos maiores perigos um conhecimento das coisas que não se perde facilmente depois de conquistado.

  Eu me encontrava por acaso à sua mesa no dia em que lá estava também um leigo muito aferrado ao direito inglês, o qual, a propósito de não sei que assunto, pôs-se a enaltecer com vigor a inflexível justiça que se exercia entre vocês, naquela época, contra os ladrões; ele dizia que se podiam ver, aqui e acolá, uns vinte deles enforcados na mesma cruz. E ele se perguntava com muito espanto, considerando que poucos escapavam ao suplício, que má sorte fazia com que houvesse ainda tantos ladrões pelas ruas. Eu disse então, pois ousava falar livremente na presença do cardeal:

– Não há nada de surpreendente nisso. Com efeito, esse castigo vai além do direito sem na verdade servir ao interesse público. Ele é ao mesmo tempo demasiado cruel para punir o roubo e impotente para impedi-lo. Um roubo simples não é um crime tão grande que deva ser pago com a vida. Por outro lado, nenhum castigo conseguirá impedir o roubo por parte daqueles que não têm nenhum outro meio de sobrevivência. Seu povo e a maior parte dos outros me parecem agir, nesse ponto, como aqueles maus professores que se ocupam em bater em seus alunos em vez de instruí-los. Decretam-se contra o ladrão penas duras e terríveis quando o melhor seria providenciar-lhe meios de viver, a fim de que ninguém se veja na cruel necessidade de roubar primeiro e ser enforcado depois.

– Mas – disse o outro – providências suficientes foram tomadas. Há indústrias, há a agricultura; eles poderiam ganhar a vida dessa forma, se não preferissem ser desonestos.

– Você não escapará assim – respondi. – Não falarei sequer dos que frequentemente voltam mutilados das guerras civis e estrangeiras, como foi o caso entre vocês da insurreição da Cornualha e, pouco antes, da campanha da França, e que perderam seus braços e pernas defendendo o Estado ou o rei. Sua fraqueza não mais lhes permite exercer a antiga profissão; sua idade não lhes permite aprender outra. Deixemos esses de lado, já que as guerras só surgem por intervalos. Detenhamo-nos no que acontece todos os dias.

Há uma quantidade de nobres que passam a vida sem fazer nada, zangões nutridos do trabalho alheio, e que, além disso, para aumentar seus rendimentos, tosquiam até a carne viva os meeiros de suas terras. Não concebem outra maneira de fazer economias, pródigos em relação a todo o resto, até se reduzirem eles próprios à mendicidade. E ainda por cima arrastam consigo um cortejo de preguiçosos que jamais aprenderam um ofício capaz de lhes dar o pão. Essa gente, se seu mestre vem a morrer ou se eles próprios adoecem, é imediatamente posta na rua. Pois aceita-se mais facilmente alimentar desocupados que doentes, sem contar que muitas vezes o herdeiro de um domínio não tem de imediato condições de manter a gente da casa do defunto. Com isso, os pobres-diabos são vigorosamente privados de comida, a menos que roubem vigorosamente. Que outra coisa poderiam fazer? Quando, à força de vagarem por aqui e ali, gastaram aos poucos as roupas e a saúde, quando estão degradados pela doença e cobertos de andrajos, os nobres não consentem mais abrir-lhes a porta; tampouco os camponeses se arriscam a isso, sabendo muito bem que quem foi educado indolentemente no luxo e na abundância, quem sabe manejar apenas o sabre e o escudo, quem olha os outros com desprezo do alto de suas maneiras distintas, jamais será capaz de servir fielmente um pobre homem, com a pá e a enxada, em troca de um magro salário e uma ração avaramente medida.

Ao que o outro respondeu:

– Mas temos um interesse primordial em manter essa gente aquecida. Se surgir uma guerra, é neles que residem a força e a resistência do exército, pois são capazes de muito mais coragem e heroísmo que os camponeses e operários.

– É o mesmo que afirmar – disse eu – que pelo amor à guerra devemos manter aquecidos os ladrões, que não irão faltar enquanto vocês tiverem soldados. Pois, se os bandidos não são os menos corajosos dos soldados, os soldados não são os menos ousados dos ladrões, tamanha a semelhança dos dois ofícios. Se esse detestável método é largamente aplicado entre vocês, ele não vos é próprio. Encontramo-lo quase em toda parte.

Com efeito, um outro flagelo, mais detestável ainda, assola a França. Todo o território está repleto, atulhado de soldados, mesmo em tempos de paz (se isso pode chamar-se paz), reunidos pela mesma ilusão que vos faz alimentar, aqui, tantos domésticos desocupados. Essa sabedoria demente imagina que o Estado assegura sua salvação mantendo uma sólida guarnição composta principalmente de veteranos, pois os novos recrutas não inspiram nenhuma confiança. De sorte que serão buscadas ocasiões de guerra tão somente para ter soldados exercitados, e homens serão degolados sem outra razão, como diz espirituosamente Salústio, senão para impedir que os braços e as coragens se entorpeçam na ociosidade.

Contudo, a França aprendeu à sua custa o quanto pode ser perigoso alimentar essa raça de feras; há também o exemplo dos romanos, cartagineses, sírios e muitos outros povos que viram exércitos criados e equipados por eles derrubar o poder, devastar os campos e as cidades toda vez que tiveram a ocasião. A inutilidade de tropas preparadas, os próprios soldados franceses a evidenciaram: treinados desde a infância, uma vez defrontados com vossas tropas recém-convocadas, eles raramente puderam se vangloriar de ser superiores. Não direi mais para não dar a impressão de bajular meus anfitriões.

O fato é que nem os operários de vossas cidades, nem os lavradores pouco civilizados de vossos campos parecem temer muito os indolentes que compõem o séquito dos nobres, com exceção daqueles cujo corpo é demasiado fraco para mostrar coragem, ou daqueles cuja energia é quebrantada pela miséria. Por conseguinte, homens cujo corpo é sadio e robusto – pois os nobres só se cercam de indivíduos seletos – e que atualmente se embotam na inação ou se debilitam em trabalhos bons apenas para mulheres, não correm o risco de perder seu vigor se os preparamos para a vida por atividades úteis, se os exercitamos por trabalhos de homens.

Seja como for que as coisas se apresentem, penso que um Estado jamais se beneficia com a perspectiva de uma guerra, que vocês terão apenas, se pensarem bem, uma quantidade de gente que coloca a paz em perigo. E é preciso considerar muito mais a paz do que a guerra.

Todavia, essa não é a única razão que obriga as pessoas a roubarem. Há uma outra, que me parece ser mais particular de vocês.

– Qual é? – perguntou o cardeal.

– Vossos carneiros – disse eu. – Normalmente tão mansos, tão fáceis de alimentar com pouca coisa, ei-los transformados, dizem-me, em animais tão vorazes e ferozes que devoram até mesmo os homens, devastando e despovoando os campos, as granjas, as aldeias. Com efeito, em todas as regiões do reino onde se encontra a lã mais fina, e portanto a mais cara, os nobres e os ricos, sem falar de alguns abades, santos personagens, não contentes de viverem à larga e preguiçosamente das rendas anuais que a terra assegurava a seus antepassados, sem nada fazerem em favor da comunidade (prejudicando-a, deveríamos dizer), não deixam mais nenhum lugar para o cultivo, acabam com as granjas, destroem as aldeias, cercando toda a terra em pastagens fechadas, não deixando subsistir senão a igreja, da qual farão um estábulo para seus carneiros. E, como se vossas áreas de caça e vossos parques já não ocupassem uma parte suficiente do território, esses homens de bem transformam em deserto lugares ocupados até então por habitações e culturas.

Desse modo, a fim de que um único glutão de apetite insaciável, temível flagelo para sua pátria, possa cercar com um único cercado alguns milhares de hectares de um único dono, granjeiros serão expulsos de suas casas, geralmente despojados de tudo que possuíam, seduzidos por engodos ou constrangidos por atos de violência. A menos que, à força de intrigas, sejam levados por cansaço a vender seus bens. O resultado é o mesmo. Eles partem miseravelmente, homens, mulheres, casais, órfãos, viúvas, pais com filhos pequenos, um grupo de familiares mais numeroso que rico, quando a terra tem necessidade de muitos trabalhadores. Partem para longe do núcleo familiar onde tinham seus hábitos; e em nenhum lugar encontram onde se fixar. Toda a sua mobília, que não valeria grande coisa mesmo se houvesse um comprador, eles a dão por quase nada no dia em que são obrigados a vendê-la. Em breve terão gasto esse pouco dinheiro ao longo de sua errância; o que podem então fazer senão roubar e ser enforcados conforme a justiça, ou sair mendigando ao deus-dará? Nesse último caso, de resto, serão jogados na prisão como vagabundos, porque vão e vêm sem fazer nada, ninguém aceitando pagá-los pelo trabalho que estão dispostos a fazer. De fato, o trabalho dos campos, cuja rotina possuem, deixou de ser praticado no momento em que se parou de semear. Um único pastor, um único vaqueiro são suficientes para uma terra transformada em pasto aos rebanhos, terra que, quando era semeada e cultivada, reclamava muitos braços.

É o que faz com que o preço do trigo aumente em muitas regiões. Mesmo a lã se torna tão cara que as pessoas humildes, que tinham o costume de tecê-la, não têm condições de comprá-la, o que agrava ainda mais o desemprego. Isso porque, depois que se estenderam as pastagens, uma epizootia matou grande número de carneiros, como se Deus tivesse querido castigar a cupidez lançando contra os animais um flagelo que seria mais justamente abatido sobre seus proprietários. De resto, mesmo se o número de carneiros aumenta, os preços não baixam. Pois, se não se pode falar de monopólio quando há mais de um vendedor, a lã constitui pelo menos um oligopólio. Ela está nas mãos de alguns homens muito ricos que não têm necessidade de vendê-la a não ser quando têm vontade. E eles só têm vontade quando os preços lhes são vantajosos.

É pela mesma razão que as outras espécies de gado se vendem igualmente caro, tanto mais que, estando as granjas destruídas e a agricultura em decadência, não resta ninguém para se dedicar à criação desses animais. Os ricos que criam carneiros não se preocupam em fazer multiplicar as outras espécies. Eles compram alhures, barato, animais magros, os engordam em seus pastos e os revendem caro. Por isso, em minha opinião, ainda não se percebeu todo o inconveniente dessa situação. Os proprietários, até o momento, controlam os preços por suas vendas. Mas, assim que o ritmo das vendas, depois de um certo tempo, for mais rápido que o dos nascimentos, as reservas que eles açambarcam irão aos poucos se esgotando e não se poderá evitar uma terrível penúria.

De modo que a avidez sem escrúpulos de uma minoria de cidadãos transforma em calamidade o que parecia ser o principal elemento da prosperidade de vossa ilha. Pois é a carestia de vida que leva cada dono de casa a dispensar o maior número possível de seus empregados; e para onde eles serão enviados, pergunto-vos, senão à mendicidade ou então, o que corações magnânimos aceitarão mais facilmente, ao banditismo?

Isso não é tudo. Essa lamentável miséria vem acompanhada do gosto de consumir. E, entre os criados dos nobres, entre os operários, e até mesmo entre os camponeses, em suma, em todas as classes, constata-se uma procura até então desconhecida no que concerne ao vestuário e à mesa. A taverna, a casa de jogo, o bordel, e esse outro bordel que é a loja de vinho ou de cerveja, seguidos de tantos jogos detestáveis, as cartas, os dados, a pela, a bola, o disco: todos enviam seus devotos, depois de ter-lhes devorado o dinheiro num piscar de olhos, a se fazer bandidos onde puderem.

    Livrem-se desses males que os prejudicam; decretem que os que arruinaram granjas e aldeias as reconstruam ou as vendam a pessoas decididas a restaurá-las e a reconstruí-las no mesmo local. Ponham um limite às compras em massa dos poderosos e a seu direito de exercer uma espécie de monopólio. Que diminua o número dos que vivem sem fazer nada. Que se retome o trabalho da lã, a fim de que uma indústria honesta possa ocupar utilmente essa massa ociosa, aqueles que a miséria já transformou em ladrões e aqueles que por enquanto são apenas lacaios de braços cruzados. Pois tanto uns quanto outros, estejam certos, cedo ou tarde roubarão. Se não remediarem esses males, será em vão enaltecer vossa maneira de reprimir o roubo. Ela é mais ilusória do que justa ou eficaz. Com efeito, vocês deixam desviar-se e deteriorar-se aos poucos o caráter das pessoas desde a primeira infância, e punem adultos por crimes cuja promessa garantida eles carregam desde os primeiros anos. Que outra coisa vocês fazem, pergunto, senão fabricarem vocês mesmos os ladrões que a seguir enforcam?

    Enquanto eu falava assim, o jurisconsulto havia preparado sua réplica, com a intenção de seguir o famoso costume dos debatedores que são mais hábeis em repisar do que em responder, pois seu ponto forte é a memória.

— Você falou muito bem — ele disse —, pelo menos para um estrangeiro que fala por ouvir dizer e não por experiência pessoal, como vou mostrar em poucas palavras. Primeiro vou retomar, seguindo, o que acabou de dizer; a seguir lhe mostrarei os pontos sobre os quais sua ignorância das coisas de nossa terra o induziu em erro; refutarei enfim o conjunto de suas conclusões e as reduzirei a nada. Para começar a réplica prometida a partir do início, parece-me que sobre quatro pontos você...

— Silêncio — disse o cardeal. — Um homem que inicia desse modo não responderá brevemente. Assim o dispensamos presentemente do trabalho de responder, reservando-o para um próximo encontro que prefiro marcar para amanhã, se nada lhe impede nem a nosso amigo Rafael. Por ora, prezado Rafael, gostaria de saber por que você acha que não se deve punir o roubo com a pena capital e que outro castigo propõe como mais de acordo com o interesse público. Pois, evidentemente, você não pensa que possamos tolerá-lo. Ora, se tantos pensam em roubar atualmente mesmo com o risco de morte, que autoridade, que terror irá reter os malfeitores quando estiverem seguros de ter a vida salva? Será que não interpretarão o abrandamento da pena como uma recompensa, um convite a agir mal?

— Creio simplesmente, reverendo padre, que é uma completa iniquidade tirar a vida de um homem porque ele roubou dinheiro. Pois todos os bens que se pode possuir não poderiam, somados, equivaler à vida de um homem. O suplício compensa, dirão, não a quantia roubada, mas o ultraje feito à justiça, à violação das leis. Não é precisamente esse "direito supremo" que é uma "suprema injustiça"? Penso que não devemos considerar como boas leis medidas semelhantes às do cônsul romano Mânlio, em que a menor infração é punida com a espada, nem tampouco os refinamentos dos estoicos que consideram todas as faltas iguais e não estabelecem diferença entre quem matou um homem e quem roubou uma moeda, faltas entre as quais não há nem semelhança nem parentesco, se a equidade não é uma palavra vã. Deus proibiu matar, e não hesitamos em matar por um pouco de dinheiro roubado! Se interpretarmos a lei divina admitindo que a interdição é suspensa quando uma lei humana decide em sentido contrário, o que impedirá os homens, por um raciocínio inteiramente semelhante, de entrarem em acordo para fixar as condições em que será permitido praticar a libertinagem, o adultério, o perjúrio? Se Deus retirou ao homem todo direito sobre a vida de outrem e mesmo sobre a própria vida, poderiam os homens chegar a um acordo sobre as circunstâncias que autorizam punições de morte recíprocas? Isentos da lei divina, quando Deus não previu nenhuma exceção, os contratantes enviariam à morte aqueles condenados por um julgamento humano? Isso não equivale a afirmar que esse mandamento de Deus terá exatamente a validade prescrita pela justiça humana? Que, com base no mesmo princípio, os homens podem decidir, a propósito de todas as coisas, em que medida convém observar os preceitos divinos? Acrescento que a lei mosaica, por mais dura e impiedosa que seja – concebida para escravos, e para escravos obstinados –, punia o roubo com uma multa, não com a morte. Não vamos imaginar que Deus, em sua nova lei, lei de clemência editada por um pai para seus filhos, tenha podido nos dar o direito de ser mais severos.

Eis aí meus argumentos contra a legitimidade da pena. O quanto é absurdo, o quanto é perigoso mesmo para o Estado infligir o mesmo castigo ao ladrão e ao assassino, penso que não há ninguém que o ignore. Com efeito, se o ladrão considerar que será tratado exatamente do mesmo modo, quer seja acusado de roubo ou de assassinato, esse simples pensamento o induzirá a matar aquele que a princípio ele tinha apenas a intenção de roubar. Pois, se for pego, não correrá um risco maior e, além disso, o assassinato lhe dá mais tranquilidade e uma chance suplementar de escapar, suprimida a testemunha do delito. E assim, ao querermos aterrorizar os ladrões, os encorajamos a matar os homens de bem.

Pedir-me-ão, como sempre fazem, para designar uma sanção mais oportuna. Mais difícil, em minha opinião, seria encontrar uma pior. Por que colocar em dúvida a eficácia do sistema que, como sabemos, foi por muito tempo aprovado pelos romanos, povo que teve como nenhum outro a ciência do governo? Os condenados por grandes crimes, eles os enviavam às pedreiras e às minas para trabalhos forçados pelo resto da vida.

Na verdade, sobre esse ponto, nenhuma regulamentação me parece tão recomendável quanto a que observei, quando viajava na Pérsia, entre povos chamados polileritas. Seu país é grande, bem governado, livre e autônomo, com exceção de um tributo anual pago ao rei dos persas. Como estão afastados do mar, quase encerrados em suas montanhas, e uma terra abundante em produtos os mais diversos satisfaz todas as suas necessidades, eles raramente viajam para longe de suas terras e quase não recebem estrangeiros. Uma velha tradição os impede de buscar ampliar suas fronteiras, que as montanhas, de um lado, e o tributo pago ao monarca, de outro, protegem contra qualquer ameaça. Livres de todo encargo militar, o que lhes faz perder em prestígio o que ganham em felicidade, eles são felizes sem serem célebres; duvido que seu nome seja conhecido além de sua vizinhança imediata.

Pois bem, entre eles, os acusados de roubo restituem o objeto roubado a seu proprietário, e não, como acontece com frequência noutros lugares, ao príncipe, pois consideram que este não tem mais direito a ele que o próprio ladrão. Se o objeto deixou de existir, os bens do ladrão são convertidos em moeda, o valor correspondente é restituído, o restante sendo deixado à mulher e aos filhos. Quanto aos ladrões, são condenados a trabalhos forçados.

Se o roubo foi cometido sem circunstâncias agravantes, eles não são encerrados numa prisão nem acorrentados. Ocupam-se livremente de atividades públicas. Se não cumprem a tarefa ou são preguiçosos, recorre-se ao chicote para estimulá-los em vez do cárcere. Os que fazem direito o trabalho não têm a temer nenhum mau tratamento. Somente à noite, após uma chamada nominal, são encerrados em seus dormitórios. Se não fossem obrigados a um trabalho contínuo, sua vida nada teria de penoso. Com efeito, são convenientemente alimentados: os que trabalham para o Estado, pelo tesouro público, de forma diferente conforme os lugares. Às vezes sua manutenção é assegurada pela esmola, e esse recurso, ainda que incerto, é o mais abundante de todos, graças à caridade do povo. Noutros casos, um crédito especial lhes é destinado, ou, ainda, um imposto é cobrado em proveito deles. Acontece também de não trabalharem para o Estado; um homem particular que precisa de um operário pode contratar um condenado em praça pública, por um salário fixo um pouco menor que o de um operário livre. Ademais, é permitido chicotear os escravos preguiçosos. Assim, eles não deixam de trabalhar e, em troca de sua manutenção, contribuem com alguma coisa ao tesouro público.

Suas roupas são de uma cor determinada que todos usam e ninguém mais exceto eles; seus cabelos não são raspados, porém mais curtos acima das orelhas, uma das quais marcada por um corte em meia-lua. Seus amigos podem lhes dar de comer e de beber, e também roupas de sua cor particular. Mas um presente em dinheiro acarretaria a pena capital tanto para quem o desse quanto para quem o aceitasse. Um homem livre correria o mesmo risco se recebesse dinheiro de um condenado, e um escravo – é assim que são designados –, se tocasse em armas.

Os escravos portam, em cada província, uma insígnia particular; são proibidos sob pena de morte de se desfazer dela, como também de serem descobertos fora dos limites de sua província ou de conversar com um escravo de outra província. Preparar uma evasão comporta o mesmo perigo que a própria fuga. Um escravo que for cúmplice num plano dessa natureza será condenado à morte; no caso de cumplicidade de um homem livre, este perderá sua liberdade. Ao contrário, recompensas serão estabelecidas para quem denunciar tais planos: dinheiro, para o homem livre; a liberdade, para o escravo. Para ambos, o perdão e a impunidade. Pois quer-se que seja menos perigoso arrepender-se de um projeto culpável do que colocá-lo em execução.

É assim que a lei regula esse problema: percebe-se de imediato o quanto ela é humana e oportuna. Ela é severa para impedir os atos, ao mesmo tempo que procura salvar os homens, os quais são tratados de tal maneira que são forçados a se comportar bem, tendo o resto da vida para reparar o mal que cometeram.

De resto, há tão pouco receio de vê-los recair nos erros passados que um viajante, no momento de sua partida, prefere de bom grado tomar como guia escravos, que serão substituídos por outros na fronteira da cada província. Com efeito, esses homens se acham nas piores condições para efetuar um assalto: não portam armas; qualquer dinheiro seria suficiente para denunciá-los como ladrões; um castigo imediato caso sejam apanhados; nenhuma possibilidade de evasão, onde quer que seja. Como um fugitivo se dissimularia quando sua roupa se diferencia completamente da dos outros? Só se escapar nu, e mesmo então seria traído por sua orelha mutilada. Não poderiam eles, juntos, conspirar perigosamente contra o Estado? Mas tal grupo não teria a menor esperança de sucesso sem previamente sondar e avisar, em várias outras províncias, as coletividades de escravos. E é muito difícil que estas possam se conjurar quando é proibido a seus membros se encontrar, se falar e se saudar. Acaso confiariam seus projetos a homens livres de seu meio, quando estes correriam perigo guardando silêncio e teriam recompensas se os denunciassem? Em troca, se for dócil e paciente, se mostrar disposição de se emendar, todo escravo pode esperar recuperar um dia a liberdade, pois não há ano que passa sem que alguns condenados sejam reabilitados por boa conduta.

Acrescentei ainda que não via nenhuma razão para que esse método não fosse aplicado na Inglaterra, com muito mais proveito do que o castigo pregado pelo jurisconsulto. Este respondeu:

– Isso jamais poderia ser instaurado na Inglaterra sem colocar o Estado no maior perigo.

Ao dizer essas palavras, ele sacudia a cabeça e contraía os lábios, antes de se confinar no silêncio. E todos os presentes pareciam concordar com ele. O cardeal, no entanto, disse:

– Não é fácil, antes de ter feito a experiência, saber se uma medida será proveitosa ou nefasta. Todavia, o príncipe poderia, tendo pronunciado a condenação à morte, ordenar o adiamento da execução e testar tal medida, após ter suspenso o privilégio dos lugares de asilo. Se a tentativa desse bons resultados, o método seria adotado com prudência. Caso contrário, a sentença seria executada sem outro prejuízo para a justiça que o de ter sido adiada, tampouco sem risco para a segurança do Estado. O que me parece certo, em todo caso, é que se poderia dessa maneira aproveitar utilmente os vagabundos, contra os quais, até o momento, muitas leis foram feitas sem chegar a um resultado.

Nem bem o cardeal havia pronunciado essa opinião que, formulada por mim, fora acolhida com desprezo geral, todos se puseram a louvá-la, cada um mais que os outros, especialmente no que concerne aos vagabundos, porque a adição era dele. O que se seguiu talvez fosse melhor passá-lo em silêncio, pois foi uma piada. Eu a contarei, todavia, por não ser ruim e ter uma relação com nosso assunto.

Achava-se ali um parasita que parecia querer desempenhar o papel de um louco, mas fazendo isso de tal maneira que ríamos mais dele que de seus gracejos, tão malsucedidos eles eram. Às vezes, porém, ele dizia coisas que não eram tolas, para confirmar o adágio: "De tanto jogar os dados, acaba-se tirando um duplo seis". Um dos presentes observou que eu havia estabelecido o que fazer com os ladrões, que o cardeal havia pensado nos vagabundos, e que portanto só restava ocupar-se oficialmente daqueles que a doença ou a velhice lançam na indigência e tornam incapazes de todo trabalho que possa alimentá-los.

– Deixem-me fazê-lo – disse o parasita. – Encontrarei em seguida o bom remédio. É uma espécie de gente que desejo ardentemente despachar para onde eu esteja certo de não vê-los. Eles me importunam frequentemente com pedidos de esmola, lamentando-se e choramingando, mas sem que esses sortilégios jamais tenham conseguido arrancar de mim um vintém. Das duas, uma: ou nada tenho para dar, ou não tenho vontade de dar. Com isso, os pobres começam a me conhecer e não perdem mais seu tempo. Quando me veem passar, afastam-se sem nada dizer, sabendo que não há nada a esperar de mim, nem mesmo, Deus me livre, se eu fosse um padre. Para todos esses mendigos, o que proponho é que se vote uma lei para distribuí-los entre os conventos beneditinos, e que ali se tornem frades leigos, como se diz. As mulheres, proponho que se tornem freiras.

O cardeal sorriu, achando o gracejo interessante; os outros aprovaram como se o outro falasse sério.

Um frade, um teólogo, achou tanta graça do que acabava de ser dito dos padres e dos monges que entrou na brincadeira, embora geralmente fosse sério a ponto de parecer sinistro.

– Não resolveste a questão dos mendigos – disse – antes de ter resolvido a nossa, dos monges.

– Mas tudo está resolvido – disse o parasita. – O cardeal deixou isso claro quando decidiu pôr os vagabundos a trabalhar. Vocês são os piores vagabundos do mundo.

Nesse ponto todos consultaram o cardeal com o olhar e, vendo que ele não protestava, puseram-se a rir abertamente, com exceção do frade. Este, avinagrando-se, e não me surpreendo com isso, foi tomado de tal indignação, de tal furor que não pôde conter suas injúrias. Chamou o outro de velhaco, caluniador, difamador, filho da perdição, acrescentando ameaças terríveis tiradas da Sagrada Escritura.

O bufão começou então a fingir que falava sério, e estava aí em seu terreno.

– Não se zangue, meu bom frade – disse –, pois está escrito: *É na paciência que possuireis vossas almas**.

Ao que o frade, reproduzo seus próprios termos, replicou:

---

* Citação – Lucas 21,19. (N.T.)

– Não me zango, tratante, ou, se o faço, é sem pecar, pois o salmista diz: *Encolerizai-vos e não pequeis**.

Como o cardeal exortava docemente o frade a se acalmar, este disse:

– Mas, senhor, só falo assim por piedade e por zelo, como é meu dever. Pois os santos sempre estiveram repletos de um zelo piedoso. Por isso foi dito: *Meu zelo por tua casa me devorou***. E na igreja se canta:

> *Os que zombam de Eliseu*
> *quando ele se dirige à casa de Deus,*
> *percebem o zelo desse careca.*

Assim talvez esse debochado, esse bufão, esse libertino vá perceber o meu.

– Você age provavelmente com boa intenção – disse o cardeal –, mas penso que agiria mais piedosamente, talvez, mais sabiamente, com certeza, evitando um combate ridículo com um louco ridículo.

– Minha conduta, meu senhor, não poderia ser mais sábia, pois o próprio Salomão, o sábio dos sábios, disse: *Responde ao louco segundo sua loucura****, e é o que farei mostrando-lhe o fosso onde cairá se não tiver cuidado. Pois, se trocistas em grande número sentiram o zelo de um único careca, Eliseu, não sentirá muito mais este único gracejador o zelo de todos os nossos frades, entre

---

* Citação – Trata-se na verdade de uma citação modificada de São Paulo, Epístola aos Efésios 4,26. (N.T.)

** Salmos 68,10. (N.T.)

*** Provérbios 26,5. (N.T.)

os quais os carecas são tão numerosos? Sem contar que temos uma bula pontifícia que excomunga todos os que escarnecem de nós.

Vendo que o caso não teria fim, o cardeal fez um sinal para que o parasita se retirasse e desviou a conversa para outro assunto. Logo depois, levantou-se da mesa para receber pessoas que tinham pedidos a lhe fazer e nos dispensou.

Com que longo discurso o importunei, meu caro Morus! Não o teria feito se você não tivesse me pedido com insistência e se não tivesse me escutado como quem deseja que nada seja omitido daquela conversa. Eu deveria tê-la resumido, mas realmente era preciso relatá-la por inteiro para você apreciar o julgamento dos que desprezaram uma opinião quando era eu que a formulava e, de uma hora para outra, foram unânimes em aprová-la porque o cardeal não a rejeitou, apressando-se tanto em concordar com ele que acolheram as invenções do parasita, prontos a levar a sério o que o mestre aceitava como um gracejo. Por aí você avalia o crédito que meus conselhos encontrariam na corte.

– Na verdade, caro Rafael, você me proporcionou um grande prazer, pois tudo o que disse foi ao mesmo tempo justo e divertido. Além disso, tive a impressão de voltar à minha pátria e, de certo modo, à minha infância, pela agradável evocação desse grande cardeal, na casa de quem fui educado. Essa digna lembrança que conservou dele, você não pode imaginar, meu caro Rafael, o quanto ela o torna ainda mais caro a meus olhos, quando você já o era eminentemente. Mesmo assim, não chego a mudar de opinião. Estou convencido de que, se pudesse dominar seu horror em relação às cortes, você poderia com seus conselhos ser de grande utilidade à coisa pública. Trata-se de um dever primordial para o homem de bem que você é. Com efeito, nosso querido Platão considera que os Estados só têm chance de ser felizes se os filósofos forem reis ou se os reis passarem a filosofar. Não irá se distanciar essa felicidade se os filósofos não se dignarem sequer dar suas opiniões aos reis?

Eles não seriam egoístas, disse Rafael, a ponto de se recusarem a isso (e muitos provaram sua boa vontade através de suas obras), se os detentores do poder estivessem inclinados a escutar bons conselhos. Mas Platão percebeu com clareza: se os próprios reis não forem filósofos, eles jamais seguirão as lições dos filósofos, por estarem desde a infância imbuídos de ideias falsas e profundamente envenenados por elas. Ele próprio constatou isso na corte de Dionísio. De minha parte, se propusesse a um rei, seja qual for, medidas saudáveis, se tentasse arrancar de seu coração a perniciosa semente lançada pelos maus conselheiros, você não concorda que eu seria expulso na mesma hora ou tratado como um bufão?

Imagine que me encontro na corte do rei da França, fazendo parte de seu conselho. Numa sessão ultrassecreta, presidida pelo próprio rei em meio ao círculo de seus sábios, discutem-se nos mínimos detalhes os meios e artimanhas para proteger Milão, para reter Nápoles que se furta, para derrubar e submeter a Itália inteira; depois, para anexar Flandres, o Brabante, finalmente toda a Borgonha, bem como os países há muito invadidos em pensamento.

Um aconselha o rei a fazer um tratado com Veneza, que será respeitado enquanto for vantajoso, a inspirar confiança a essa república, inclusive deixando nela uma parte do butim, que será retomado tão logo obtido o sucesso desejado. Outro o aconselha a contratar soldados alemães, a fazer cintilar o dinheiro aos olhos dos suíços; um outro ainda, a atrair os favores desse deus irritado que é a majestade imperial, levando a seu altar uma oferenda de ouro. Um outro quer que ele se reconcilie com o rei de Aragão e lhe ceda o reino de Navarra, sobre o qual não tem nenhum direito, como promessa e garantia de paz. Um outro acha que ele faz bem em se aproximar do príncipe de Castela pela esperança de uma aliança e em conquistar alguns senhores de sua corte pagando-lhes regularmente uma pensão.

Chega-se então ao nó da questão: que disposições tomar em relação à Inglaterra? Em todo caso, fazer a paz com ela e estreitar os laços de uma aliança que permanece sempre frágil; tratar como amigos aqueles que no entanto serão vigiados como inimigos; conservar os escoceses em reserva, prontos a serem largados ao primeiro movimento dos ingleses; e, para isso, alimentar em segredo – pois os tratados proíbem fazê-lo abertamente – algum nobre no exílio que tenha pretensões à coroa, a fim de impor respeito ao príncipe.

Nesse momento, digo eu, enquanto se preparam tais desordens, quando tantos homens distintos rivalizam em engenhosidade para preparar a guerra, eu, um homem insignificante, me levantaria para aconselhar que se arriem as velas, que se renuncie à Itália e se permaneça em casa, o reino da França já sendo demasiado grande para que um homem possa administrá-lo bem, sem que o rei se preocupe ainda em anexar outros territórios, e proporia como exemplo a decisão dos achorianos, um povo que habita o sudeste da ilha de Utopia.

Os achorianos, eu diria, haviam lutado outrora para conquistar, para seu rei, um reino que este dizia lhe caber por direito de nascença, em virtude de um casamento antigo. Chegando a seus fins, eles constataram que a posse lhes dava tantos problemas quanto a conquista; que os germes de rebelião interna e de guerra estrangeira se multiplicavam ao mesmo tempo no interior do povo anexado e contra ele; que eles deviam perpetuamente estar em alerta e combater, seja em favor dos novos súditos, seja contra eles; que o exército jamais podia ser licenciado; que, nesse meio tempo, seu próprio país era vítima da pilhagem; que o dinheiro se evadia no estrangeiro; que eles pagavam com seu sangue a vaidade de um só; que, mesmo assim, a paz não estava assegurada; que a guerra, entre eles, corrompia os costumes; que o gosto do banditismo se espalhava em toda parte; que o hábito de matar incitava a todas as audácias; que as leis eram desprezadas: tudo isso porque a atenção do rei, dividida entre seus dois reinos, se aplicava insuficientemente a cada um deles. Quando perceberam que não havia outro remédio, eles tomaram finalmente uma decisão e apresentaram cortesmente ao rei uma opção: que ele ficasse com um dos dois países à sua escolha, pois não era possível ficar com os dois, eles próprios já sendo muito numerosos para serem governados por uma metade de rei. Ninguém gostaria de ter um muleteiro que fosse obrigado a partilhar com seu vizinho. Esse bom rei foi assim forçado a entregar seu novo reino a um de seus amigos, pouco depois deposto, e a contentar-se com o primeiro.

Se eu mostrasse a seguir que todas essas ambições belicosas perturbam as nações, esvaziam os tesouros, destroem os povos e não chegam, a despeito de algum sucesso, a nenhum resultado; que é melhor portanto o rei apegar-se ao reino legado por seus ancestrais, embelezá-lo da melhor maneira e torná-lo o mais florescente possível; amar seu povo e fazer-se amar por ele; viver no meio dos seus; governá-los com doçura e deixar em paz os países estrangeiros, considerando que seu domínio atual é agora bastante extenso para ele – com que humor, meu caro Morus, você acha que esse discurso seria escutado?

– Com muito mau humor – respondi.

– Continuemos. Suponhamos que um rei esteja ocupado em estudar com seus ministros maneiras engenhosas de acumular riquezas.

O primeiro o aconselha a aumentar o valor fictício da moeda para os pagamentos que ele deve fazer, mas de reduzi-lo abusivamente para os súditos que saldam seus impostos, a fim de pagar mais com pouco dinheiro e receber muito.

Outro o aconselha a fazer preparativos de guerra, bom pretexto para reclamar ajuda e depois fazer a paz com todas as cerimônias religiosas, a fim de ludibriar o povo simples com o espetáculo de um príncipe piedoso que não quer derramar sangue.

Um outro lhe sugere que leis caídas em desuso voltem a vigorar: como ninguém mais se lembra delas, todos as transgredirão. Que o rei restabeleça as multas: não há fonte de renda mais abundante e honrada, já que tem a máscara da justiça.

Um outro propõe introduzir, sob a ameaça de penalidades em dinheiro, uma série de proibições novas, a maior parte em favor do povo, e depois vender dispensas aos que a interdição aborrece. O povo ficará agradecido ao rei e este terá uma dupla receita. Pois, com uma mão, receberá as multas daqueles que, por cupidez, infringirão a lei e, com a outra, o resgate das dispensas. Quanto mais elevado for esse resgate, tanto mais ele testemunhará em favor de um bom rei, que nada concede aos interesses privados contra o bem público, a não ser contra a vontade, exigindo um alto preço por isso.

Outro aconselha que os juízes sejam ganhos para sentenciar sempre em favor do rei; que, para maior segurança, este os faça vir ao palácio para discutir em sua presença as causas da coroa. Nenhuma causa dessa natureza será tão evidentemente injusta que um deles, diante do rei, seja por amor à contradição, seja por desejo de apresentar uma opinião singular, seja para fazer-lhe a corte, não encontre uma fissura por onde uma falsa interpretação possa se introduzir. No momento em que uma questão clara como o dia é discutida desse modo e a verdade é posta em dúvida, o rei poderá intervir e interpretar o direito em seu interesse pessoal. Os outros assentirão por embaraço ou por temor, e o tribunal pronunciará enfim a sentença sem hesitação. Pois quem decide em favor do príncipe sente-se sempre protegido, já que lhe basta alegar ou a letra da lei, ou algum texto habilmente interpretado, ou ainda, na falta de tudo isso, o indiscutível privilégio real – o que pesa mais que todas as leis do mundo no espírito desses homens escrupulosos. E todos estarão de acordo para dizer, com Crasso, que nenhum tesouro é suficientemente abundante para um príncipe que deve alimentar um exército; que um rei nada pode fazer de injusto ainda que o queira, já que tudo que cada um possui é dele e inclusive as próprias pessoas, um súdito na verdade só tendo como bens o que a generosidade real consente em lhe deixar; e o interesse do príncipe exige que seja o mínimo possível, pois seria perigoso, para sua segurança, o dinheiro e a liberdade subirem à cabeça do povo, o qual, nesse caso, suportaria mais dificilmente uma dominação dura e injusta, ao passo que a indigência e a miséria debilitam as coragens, tornando o povo passivo e retirando aos oprimidos a audácia necessária para se revoltar.

Que aconteceria se, nesse momento, eu me levantasse novamente, se afirmasse que todas essas proposições são indignas do rei e capazes de prejudicar-lhe, pois sua grandeza, sem mesmo falar de sua segurança, reside na riqueza de seu povo mais ainda que na sua própria; se mostrasse que os súditos escolhem um rei, não em favor deste, mas em favor deles próprios, a fim de viverem felizes, em segurança, ao abrigo das injúrias, graças a seus esforços e à sua solicitude; que o rei, portanto, deve se ocupar antes da felicidade de seu povo que da sua própria, exatamente como o papel do pastor é alimentar suas ovelhas antes de pensar nele mesmo, se for um verdadeiro pastor?

Quanto a crer que a miséria do povo seja uma garantia de segurança e de paz, a experiência prova suficientemente que esse é o maior dos erros. Onde há mais desordens do que entre os mendigos? Quem é o mais apressado em subverter o estado de coisas existente, senão o que está descontente com sua sorte? Quem se lança mais temerariamente no caminho da revolução senão o que nada tem a perder e espera ganhar com a mudança? Um rei que fosse desprezado e odiado por seu povo a ponto de só poder impor respeito a seus súditos mediante rigores, extorsões, confiscos, um rei que os obrigasse a mendigar, seria preferível que abdicasse de vez a ter de usar de procedimentos que talvez lhe conservem a coroa, mas lhe retiram a grandeza, pois a dignidade real consiste em reinar sobre homens prósperos e felizes, não sobre mendigos. Foi o que compreendeu muito bem Fabricius, homem de caráter altivo e elevado, quando disse que preferia comandar homens ricos a ser ele próprio rico.

Com efeito, ser o único a viver em prazeres e delícias, tendo ao redor pessoas que gemem e se lamentam, não é ser um rei, é ser um guarda de prisão. Enfim, é um médico muito ruim aquele que não sabe curar uma doença a não ser infligindo outra. Outrossim, um rei que só consegue manter seus súditos no dever privando-os do que faz a vida agradável, que esse rei reconheça sua incapacidade de governar homens livres, ou, melhor ainda, que se corrija de sua preguiça e de seu orgulho, pois geralmente é por causa desses dois defeitos que ele é desprezado ou odiado por seu povo; que ele viva de seu domínio pessoal, sem fazer mal a ninguém; que regule seus gastos em função de seus rendimentos; que refreie o mal prevenindo os crimes através dos bons princípios que terá dado a seu povo, e não punindo-o após tê-los deixado proliferar; que não restabeleça arbitrariamente leis caídas em desuso, sobretudo as que ninguém deseja ver exumadas de um longo esquecimento; que jamais, sob pretexto de castigar um delito, se atribua bens que um juiz recusaria a um homem particular, pois o confisco seria tachado de fraude e de injustiça.

Digamos que eu ponha sob os olhos deles esta lei dos macarianos, um outro povo vizinho de Utopia, cujo rei, no dia de sua posse, se proíbe por juramento, após ter oferecido grandes sacrifícios, jamais ter em seus cofres mais de mil peças de ouro ou o equivalente em dinheiro. Essa lei, dizem eles, lhes vem de um príncipe excelente, mais preocupado com a prosperidade da pátria que com seu próprio enriquecimento; ele quis assim impedir um acúmulo de recursos que empobreceria os do povo. Considerava a quantia suficiente para o caso de o rei ter rebeldes a combater ou de o Estado precisar se defender contra incursões inimigas, demasiado pequena, em troca, para lhe dar vontade de invadir um país estrangeiro. Tal foi a razão principal que o levou a estabelecer essa lei. Além disso, ele considerou que a reserva seria suficiente para cobrir as trocas normais entre cidadãos. Enfim, como o soberano é obrigado a apresentar um pedido para tudo que faria aumentar seu tesouro acima do nível previsto, ele não pensaria em buscar pretextos para empreender uma política de violência. Um rei assim é feito para ser temido pelos maus, amado pelos bons.

Se eu desse esse exemplo e outros do mesmo gênero a homens que tudo dirigem para o lado oposto, não seria como contar uma história a surdos?

– A surdos completos – disse eu –, e isso nada teria de espantoso. Na verdade, não vejo a utilidade de fazer tais discursos, de oferecer tais conselhos quando temos a certeza de que não encontrarão nenhum eco. O que se ganharia com isso? De que maneira uma linguagem nova, dirigida a homens a quem uma convicção oposta conquistou anteriormente o espírito e o ocupa inteiramente, encontraria o caminho de seu coração? Essas considerações teóricas são muito agradáveis numa conversa familiar entre amigos. Mas elas não poderiam ocupar qualquer lugar nos conselhos dos príncipes, onde grandes questões são tratadas com uma autoridade soberana.

– Eis por que – disse ele – eu afirmava que a filosofia não tem acesso junto aos príncipes.

– Ela o tem – respondi –; não essa filosofia de escola que imagina ter soluções aplicáveis a qualquer situação. Mas existe uma outra, instruída pela vida, que conhece seu teatro, que se adapta a ele e que, na peça que se desempenha, sabe exatamente seu papel e o representa decentemente. É dela que você deve fazer uso. Numa comédia de Plauto, no momento em que os pequenos escravos trocam seus gracejos, se você avança até o proscênio vestido de filósofo para declamar a passagem de *Otávio* em que Sêneca discute com Nero, não seria preferível desempenhar um papel mudo a introduzir um contraste que produz um efeito tragicômico? Você terá alterado, estragado o espetáculo em curso ao misturar nele elementos estranhos, pouco importando que sejam de uma qualidade superior. Seja qual for a peça, represente-a da melhor maneira possível, sem virá-la do avesso porque lhe vem ao espírito um trecho de uma outra que lhe agrada mais.

É o que acontece na política, nas deliberações dos príncipes. Se você não pode extirpar radicalmente opiniões errôneas, remediar o que considera como abusos inveterados, isso não é uma razão para se afastar da coisa pública: não renunciamos a salvar o navio na tempestade só porque não saberíamos impedir o vento de soprar. Mas tampouco precisamos impor a pessoas predispostas em sentido contrário um discurso insólito, desconcertante, que você sabe de antemão que não mudará suas convicções. Mais vale proceder por rodeios e se esforçar, tanto quanto possível, por recorrer à habilidade, de modo que, se você não obtiver uma boa solução, ao menos terá encaminhado a menos ruim possível. Pois, como todas as coisas seriam perfeitas se nem todos os homens o são, e não espero vê-los mudarem amanhã?

– É aconselhar-me – disse ele –, sob pretexto de querer remediar a loucura dos outros, a delirar em companhia deles. Pois, se quero fazer prevalecer a verdade, não posso dizer o contrário dela. Será a tarefa de um filósofo dizer mentiras? Não sei, mas, em todo caso, não é a minha. De resto, as pessoas da corte achariam meu discurso desagradável, importuno, mas não vejo por que ficariam chocados por sua novidade. Ah! Se eu propusesse o que Platão imaginou em sua *República* ou o que os utopianos põem em prática na sua, esses princípios, ainda que muito superiores aos nossos – e eles seguramente o são –, poderiam surpreender, já que entre nós cada um possui seus bens próprios enquanto lá tudo é partilhado em comum. Feito para assinalar perigos e para desviar-se deles, meu discurso deve evidentemente parecer incômodo aos que de qualquer maneira decidiram lançar-se a eles sem pensar.

Mas o que ele contém que não seja concebível e oportuno dizer? Se devemos calar como algo estranho e insensato tudo o que a maldade humana nos faz parecer excepcional, então devemos dissimular aos cristãos quase tudo o que o Cristo ensinou, e tanto ele não quis que assim fosse que ordenou a seus discípulos para saírem a pregar aos quatro ventos o que havia murmurado a seus ouvidos. O essencial de sua doutrina está bem mais afastado dos costumes do mundo do que minhas palavras.

A menos que sigamos o exemplo dos hábeis frades pregadores, que me parecem seguir seu conselho: constatando que os homens dificilmente adaptam suas condutas à lei do Cristo, eles curvaram a lei, como uma régua de chumbo*, às condutas, a fim de que apesar de tudo haja concordância. Não vejo o que ganharam com isso, a não ser que se pode pecar com melhor consciência.

Tal é exatamente o resultado que eu obteria nos conselhos dos príncipes. Ou eu pensaria diferentemente deles, e seria o mesmo que simplesmente não pensar; ou pensaria como eles, o que seria, como diz o Misião de Terêncio, fazer-me o promotor de sua demência. Quanto ao caminho por rodeios que você preconiza, não vejo aonde levaria. Não podendo melhorar o conjunto das coisas, você gostaria de pelo menos tratá-las tão habilmente que elas se tornem menos ruins. Mas nessas deliberações não se trata de fazer rodeios, de fechar os olhos. É preciso dar uma aprovação explícita a projetos detestáveis e subscrever resoluções as mais nefastas. Será tido

---

* Régua de chumbo – Alusão a uma régua dos arquitetos de Lesbos que simboliza a flexibilidade em matéria de justiça, mas tomada aqui como exemplo de um desvirtuamento da lei. (N.T.)

como espião, e quase como traidor, quem não louvar com firmeza decisões contrárias à justiça.

Enfim, não se apresentará uma ocasião em que você possa ser útil, já que estará envolvido por colegas mais capazes de corromper o melhor homem do mundo do que se deixar corrigir por ele. Você irá se corromper ao contato de homens depravados, ou então, conservando sua integridade, terá de compactuar com uma perversidade, uma estupidez da qual é inocente. E ei-lo assim distante de poder melhorar o que quer que seja através do caminho por rodeios.

É por isso que Platão, numa comparação muito bela, convida com razão os sábios a se absterem de toda atividade política.

Quando esses sábios, diz ele, veem na rua transeuntes molhados por uma chuva violenta, sem chegarem a se convencer de que devem se abrigar, eles sabem que não adiantaria sair senão para se molhar junto com eles. Assim permanecem abrigados e, não podendo remediar a loucura dos outros, contentam-se em permanecer eles próprios secos.

Mas na verdade, meu caro Morus, para nada lhe ocultar do que tenho no espírito, parece-me que onde existe a propriedade privada, onde todo o mundo avalia as coisas em relação ao dinheiro, dificilmente é possível estabelecer nos assuntos públicos um regime que seja ao mesmo tempo justo e próspero; a menos que você considere justo que as melhores coisas caibam às piores pessoas, ou que julgue bom que todos os bens sejam partilhados por uns poucos, e mesmo sem que estes estejam inteiramente satisfeitos, enquanto todos os demais vivem na pior miséria.

Por isso refleti sobre a Constituição muito sábia e moralmente irreprochável dos utopianos, entre os quais, com um mínimo de leis, tudo é regulado para o bem de todos, de tal modo que o mérito seja recompensado e que, com uma repartição da qual ninguém é excluído, cada um tenha uma larga parcela. Oponho esses costumes aos de tantas outras nações sempre ocupadas em legislar sem serem por isso mais bem governadas; nas quais cada um chama de seu o que lhe caiu nas mãos; nas quais tantas leis acumuladas são incapazes de garantir a aquisição, a conservação da propriedade, de distinguir em relação ao vizinho o que cada um designa como seu bem próprio, como o provam fartamente os processos que não cessam de surgir e que jamais terminam. Essa comparação me inclina a dar razão a Platão; não me surpreendo que ele tenha recusado redigir uma Constituição para os que rejeitassem o princípio da comunidade dos bens. Com efeito, esse grande sábio já havia percebido que um único caminho conduz à salvação pública, a saber, a igual repartição dos recursos. E como realizá-la onde os bens pertencem a particulares? Quando cada um exige o máximo para si, não importa o título que alegue, e por mais abundantes que sejam os recursos, uma minoria irá açambarcá-los e deixará a indigência ao maior número. Junte-se a isso que a sorte com frequência dá a cada um o que ele menos mereceu: muitos ricos são gananciosos, desonestos, inúteis ao Estado; muitos pobres são simples e modestos, e seu incessante trabalho traz mais benefícios ao Estado que a eles próprios.

Estou portanto convencido de que os recursos só podem ser repartidos com igualdade e justiça, que os negócios dos homens só podem ser bem administrados, se for suprimida a propriedade privada. Enquanto ela subsistir, a parte mais numerosa e melhor da humanidade carregará um pesado e inevitável fardo de miséria e de preocupações. Reconheço que esse fardo pode ser aliviado numa pequena medida; mas suprimi-lo completamente é impossível.

Limitar-se-á, por exemplo, a superfície da terra, a quantidade de dinheiro que cada um poderá possuir; tomar-se-ão medidas para impedir que o rei seja demasiado poderoso ou seus súditos demasiado soberbos; impedir-se-ão a disputa, a venalidade dos cargos, todo luxo, todo gasto obrigatório nas funções elevadas, caso contrário a posição a ocupar incitará a fraude e a extorsão para alcançá-la, e inevitavelmente ricos ocuparão postos que deveriam ser de homens competentes.

Essas leis são como calmantes que se aplicam a todo instante para aliviar os doentes que não mais esperamos ver restabelecidos; elas podem diminuir ou adormecer o mal. Mas de modo nenhum espere que elas o curem enquanto subsistir a propriedade privada. Pois é impossível, nesse caso, tratar um membro sem agravar a ferida de um outro. Males e remédios se engendram reciprocamente, já que nada se pode acrescentar de um lado que não tenha sido suprimido de outro.

– Mas parece-me impossível imaginar – disse eu – uma vida satisfatória onde os bens seriam partilhados em comum. Como obter as subsistências necessárias quando qualquer um pode se furtar ao trabalho, pois ninguém é premido pela necessidade e todos podem preguiçosamente contar com o zelo dos outros? E, mesmo sob o aguilhão da necessidade, como nenhuma lei garante a um homem a posse pacífica do que produziu, não será o Estado, sempre e necessariamente, agitado pela sedição e o crime, uma vez suprimidos a autoridade e o prestígio dos magistrados? Pois que autoridade pode subsistir entre homens que nada distinguem entre si? Não consigo sequer fazer uma ideia disso.

– Não é surpreendente – disse ele – que você pense assim, já que não tem da realidade nenhuma representação que não seja falsa. Você precisaria ter estado comigo em Utopia, ter visto com os próprios olhos seus costumes e suas instituições, como pude fazer, eu que vivi mais de cinco anos nesse país, que jamais o teria deixado se não fosse para fazer conhecer esse novo universo. Então você admitiria jamais ter visto noutra parte um povo governado por melhores leis.

– Entretanto você dificilmente me convenceria – disse Pierre Gilles – que há no novo mundo povos mais bem governados que os que conhecemos. Os homens aqui não são menos inteligentes, e penso que nossos Estados são mais antigos que os deles. Uma longa prática nos fez descobrir milhares de coisas úteis à vida, sem contar as invenções devidas ao acaso, que nenhum engenho teria concebido.

– Sobre a antiguidade desses Estados – respondeu Rafael – você falaria com mais exatidão se tivesse lido os anais desse novo mundo. A acreditar no que dizem, lá já havia cidades antes que houvesse homens entre nós. E aquilo que o gênio humano descobriu, que o acaso revelou, é algo que pode se manifestar em qualquer lugar. De resto, penso que, se ultrapassamos aqueles povos pela inteligência, permanecemos muito atrás deles no que concerne à atividade e à aplicação.

Com efeito, segundo seus anais, antes de nosso desembarque eles não tinham nenhuma noção de nós, que eles chamam de ultraquinociais, a não ser por um barco que uma tempestade fez naufragar há mil e duzentos anos perto da ilha de Utopia. Alguns romanos e egípcios foram lançados à praia e passaram a viver no país.

E veja como essa gente industriosa soube aproveitar essa ocasião única. No império romano não se praticou nenhuma arte capaz de lhes ser útil que eles não tenham aprendido desses náufragos, ou que, a partir de indicações sumárias, suas próprias pesquisas não lhes tenham permitido reinventar, tanto eles souberam ganhar de um único contato com alguns dos nossos. Se, por um acaso semelhante, um utopiano alguma vez desembarcou entre nós, esse fato caiu num esquecimento total. Nossos descendentes tampouco saberão que estive entre eles. Após um único encontro, eles assimilaram nossas melhores descobertas. Ao contrário, receio que levará muito tempo para que acolhamos a menor das coisas nas quais eles são superiores a nós. Eis aí precisamente por que, sendo nossa inteligência e nossos recursos equivalentes aos deles, seu Estado é no entanto mais sabiamente administrado que o nosso, e também mais florescente.

– Caro Rafael – disse eu –, descreva-nos então essa ilha, pedimos-lhe encarecidamente. Não o faça em poucas palavras. Dê-nos um quadro completo dos cultivos, dos rios, das cidades, dos homens, dos costumes, das instituições e das leis, enfim, de tudo o que você acha que desejamos conhecer. E saiba que desejamos conhecer tudo o que ignoramos.

– Não há nada que eu faça com maior prazer, pois tudo está presente em meu espírito. Mas isso levará algum tempo.

– Entremos – eu disse – e comamos, depois teremos o tempo que for necessário.

– Muito bem – disse ele.

Fizemos nossa refeição e voltamos a sentar no mesmo lugar, no mesmo banco, dizendo aos domésticos que não queríamos ser interrompidos. Pierre Gilles e eu instamos Rafael a cumprir sua promessa. Ele permaneceu um instante a refletir em silêncio, e depois, vendo-nos atentos e ávidos de ouvi-lo, disse o que segue.

LIVRO SEGUNDO

A ilha de Utopia, em sua parte média, que é a mais larga, estende-se por duzentas milhas, diminuindo depois progressiva e simetricamente para terminar em ponta nas duas extremidades. Estas, distantes uma da outra em quinhentas milhas numa linha traçada a compasso, dão à ilha o aspecto de um crescente de lua. Um braço de mar de cerca de onze milhas separa as duas pontas. Embora se comunique com o mar aberto, o golfo, protegido dos ventos por dois promontórios, assemelha-se mais a um grande lago de águas calmas que a um mar agitado. Ele forma uma bacia onde, para a maior vantagem dos habitantes, os navios podem circular largamente. Mas a entrada do porto é perigosa, por causa dos bancos de areia, de um lado, e dos recifes, de outro. A meia distância, aproximadamente, ergue-se um rochedo, demasiado visível para ser perigoso, sobre o qual foi construída uma torre de vigilância. Outros se ocultam insidiosamente debaixo d'água. Os habitantes do país são os únicos a conhecer as passagens, de modo que um estrangeiro dificilmente poderia penetrar no porto sem que um nativo lhe sirva de piloto. Os próprios habitantes não se arriscam muito, a não ser com o auxílio de sinais que, da costa, lhes indicam o bom caminho. Bastaria confundir esses sinais para conduzir à perdição uma frota inimiga, por maior que fosse. Na margem oposta há enseadas bastante frequentadas. Mas em toda parte um desembarque foi tornado tão difícil, seja pela natureza, seja pela arte, que um punhado de defensores seria suficiente para impor respeito a invasores muito numerosos.

De acordo com tradições confirmadas pelo aspecto do país, a região outrora não era cercada pelo mar antes de ser conquistada por Utopus, que se tornou seu rei e lhe deu seu nome. Anteriormente ela chamava-se Abraxa. Foi Utopus que elevou homens ignorantes e rústicos a um grau de cultura e de civilização que nenhum outro povo parece ter alcançado atualmente.

Depois de tê-los vencido no primeiro encontro, Utopus decidiu cortar um istmo de quinze milhas que ligava a terra ao continente, fazendo com que o mar a cercasse de todos os lados. Incumbiu os habitantes da tarefa, mas juntamente com seus soldados, para evitar que considerassem esse trabalho como uma corveia humilhante. Repartida entre tão grande número de operários, a obra foi realizada num tempo inacreditavelmente curto, de modo que os vizinhos, que inicialmente criticaram sua temeridade, ficaram muito admirados e também assustados ao verem o resultado.

A ilha tem cinquenta e quatro cidades grandes e belas, idênticas pela língua, os costumes, as instituições e as leis. Todas são construídas segundo o mesmo plano e têm o mesmo aspecto, na medida em que o sítio o permite. A distância entre elas é de no mínimo vinte e quatro milhas, mas jamais é tão grande que não possa ser percorrida numa jornada de marcha.

Cada cidade envia todo ano a Amaurota três velhos com experiência nos assuntos públicos, para que deliberem sobre os interesses da ilha. Situada como que no umbigo da ilha, de acesso fácil a todos os delegados, essa cidade é considerada como uma capital.

Os campos são tão bem repartidos entre as cidades que cada uma tem pelo menos doze milhas de terras a cultivar a seu redor, às vezes mais, se a distância é maior entre ela e a vizinha. Nenhuma busca ampliar seu território, pois os habitantes se consideram antes como capatazes que como proprietários.

Na zona rural, no meio dos campos, eles têm casas bem situadas em lugares escolhidos, equipadas de todos os instrumentos agrícolas. Os citadinos vêm habitá-las por períodos determinados. Uma família agrícola se compõe de pelo menos quatro pessoas, homens e mulheres, sem contar dois servos ligados à gleba. Um homem e uma mulher, pessoas sérias e experientes, servem de pai ou de mãe a essa gente. Trinta famílias elegem um filarco. Cada família recebe todo ano vinte pessoas da cidade que passam dois anos no campo, sendo revezadas por outros citadinos. Estes são instruídos pelos colonos instalados há um ano e já ao par das coisas da terra. Por sua vez, eles servirão de instrutores no ano seguinte, pois o abastecimento não deve sofrer com a inexperiência dos recém-chegados. Esse revezamento foi erigido como regra para não obrigar ninguém, contra sua vontade, a levar por muito tempo uma existência demasiado dura. Muitos, no entanto, pedem para permanecer mais tempo, porque gostam da vida dos campos.

Os camponeses cultivam a terra, criam animais, tratam de obter madeira e de encaminhá-la à cidade pela via mais fácil, por terra ou por mar. Criam quantidades incríveis de aves domésticas, por um método curioso. Os ovos não são chocados pelas galinhas, mas mantidos em grande número num calor constante em que os pintinhos eclodem e crescem. Assim que saem da casca, estes consideram os homens como sua mãe, correm atrás deles e os reconhecem.

Eles criam poucos cavalos, e apenas de uma raça muito fogosa, unicamente para ensinar a equitação aos jovens. O trabalho da lavoura e dos transportes é executado inteiramente por bois. Eles acham que os bois, embora não tenham a vivacidade dos cavalos, são mais pacientes e menos expostos a doenças; também exigem menos trabalho para cuidar, menos dinheiro para alimentar e, quando cessam de trabalhar, podem ainda ser utilizados como alimento.

A totalidade dos cereais é usada para fazer pão. Eles bebem vinho de uva, de cidra, de pera, e água, geralmente pura, às vezes misturada a uma decocção de mel e de extrato de alcaçuz que existe em abundância na ilha.

Quando eles avaliam – e o fazem com a maior exatidão – o consumo de sua cidade e seus arredores, fazem suas semeaduras e criam animais em quantidade muito superior às próprias necessidades, a fim de terem um excedente a dar a seus vizinhos.

Os utensílios que faltam no campo eles vão solicitá-los na cidade, onde, sem contrapartida, sem formalidade, os recebem dos magistrados urbanos. Todo mês eles se reúnem em grande número para uma festa.

Quando se aproxima o momento da colheita, os filarcos das famílias agrícolas declaram aos magistrados urbanos o número de cidadãos que necessitam. A multidão de ceifeiros chega no momento oportuno e basta às vezes uma jornada de sol para realizar a tarefa.

Quem conhece uma das cidades conhece todas, porque são muito semelhantes e não se distinguem senão pelo terreno. Descreverei portanto somente uma, e pouco importa qual. Por que não escolher Amaurota? Nenhuma o merece mais, já que as outras lhe concederam ser a sede do senado. De resto, é a que conheço melhor, pois lá passei cinco anos completos.

Amaurota se estende em suave inclinação sobre a encosta de uma colina. Sua forma é aproximadamente quadrada. A largura, do alto da colina até o rio Anidro, é de duas milhas. O comprimento, seguindo o rio, é um pouco mais extenso.

O Anidro tem sua nascente oitenta milhas acima de Amaurota. É ali um pequeno riacho, logo engrossado por afluentes, dois deles bastante importantes, de modo que, junto à cidade, sua largura é de meia milha; depois, cada vez mais volumoso, ele se lança no oceano após ter percorrido outras sessenta milhas. Em toda a extensão entre a cidade e o mar, e mesmo algumas milhas a montante, a maré, a cada seis horas, se faz sentir fortemente. Quando uma forte maré remonta o rio por umas trinta milhas, ela ocupa todo o leito do Anidro, vence a corrente de água doce e modifica-lhe o gosto. Depois, o rio recupera aos poucos sua água pura, natural, fazendo recuar a água salgada quase até a embocadura.

A cidade está ligada à margem oposta por uma ponte que não é sustentada por pilares ou pilotis, mas por uma construção em pedra de bela curvatura. Ela se encontra na parte da cidade mais afastada do mar, para não estorvar os barcos que costeiam as margens. Um outro rio, pequeno, tranquilo e de vista agradável, tem sua nascente na mesma altura de Amaurota, atravessa-a ao longo da encosta e mistura suas águas, no meio da cidade, às do Anidro. Essa nascente, um pouco afastada do núcleo urbano, o povo de Amaurota a cercou de muralhas e a incorporou às defesas da cidade, para que, em caso de invasão, não possa ser estancada nem envenenada. Dali, canais em terracota levam suas águas às diferentes partes da cidade baixa. Onde o terreno as impede de chegar, vastas cisternas recolhem a água da chuva e prestam o mesmo serviço.

Uma muralha alta e larga, com torreões e baluartes, envolve a cidade; um fosso seco, mas profundo e largo, tornado impraticável por um cinturão de sarças espinhosas, cerca a construção de três lados; o rio ocupa o quarto.

As ruas foram bem desenhadas, ao mesmo tempo para servir o tráfego e como obstáculo aos ventos. As construções têm boa aparência. Formam duas fileiras contínuas, constituídas pelas fachadas uma defronte à outra, junto a uma calçada de seis metros de largura. Nos fundos das casas, em toda a extensão da rua, acha-se um vasto jardim, limitado de todos os lados pelas fachadas posteriores.

Cada casa tem duas portas, a da frente dando para a rua, a de trás para o jardim. Elas se abrem a um toque de mão, e se fecham do mesmo modo, deixando entrar quem quiser. Ali não há nada que constitua um domínio privado. Com efeito, essas casas mudam de moradores, por sorteio, a cada dez anos. Os utopianos conservam admiravelmente seus jardins, onde cultivam videiras, frutas, legumes e flores de tal esplendor, de tal beleza, que em nenhum outro lugar vi tamanha abundância, tamanha harmonia. Seu zelo é estimulado pelo prazer que retiram disso e também pela emulação, os diferentes bairros disputando para ver quem terá o jardim mais bem-cuidado. Na verdade, dificilmente se conceberia, numa cidade, ocupação melhor para proporcionar ao mesmo tempo proveito e alegria aos cidadãos, e visivelmente o fundador não dedicou a nenhuma outra coisa tanta solicitude quanto a esses jardins.

De fato, diz a tradição que todo o plano da cidade foi traçado desde a origem pelo próprio Utopus. Mas ele deixou por fazer a ornamentação e o acabamento, tarefas para as quais uma vida de homem não seria suficiente. Seus anais contêm, cuidadosamente, escrupulosamente redigida, a história dos 1.760 anos transcorridos desde a conquista da ilha. Eles contam que primitivamente as casas eram pequenas, semelhantes a barracos e choupanas, construídas de qualquer jeito e com qualquer madeira, as paredes revestidas de argila, os telhados pontudos cobertos de colmo. Atualmente, cada casa tem três andares. As paredes exteriores são feitas de pedra ou de tijolos;

no interior, são revestidas de argamassa. Os telhados são planos, cobertos de telhas pouco custosas, de uma composição que protege contra o fogo e as intempéries melhor que o chumbo. Os moradores se abrigam contra o vento por janelas de vidro – material muito usado na ilha –, às vezes também por uma tela fina que eles tornam transparente revestindo-a de óleo ou de resina: o que oferece a vantagem de deixar passar a luz e de deter o vento.

Trinta famílias elegem todo ano um magistrado, que é chamado sifogrante*, na antiga língua do país, e filarco, atualmente. Dez sifograntes e as famílias que dependem deles obedecem a um magistrado chamado outrora tranibore e hoje protofilarco. Os duzentos sifograntes, enfim, após jurarem fixar sua escolha sobre o mais capaz, elegem o príncipe em sufrágio secreto, a partir de uma lista de quatro nomes designados pelo povo. Cada um dos quatro bairros da cidade propõe um nome à escolha do senado. O principado é vitalício, a menos que o eleito demonstre aspirar à tirania. Os tranibores submetem-se anualmente à reeleição; seu mandato é com frequência renovado. Todos os outros cargos são anuais.

Os tranibores têm um encontro com o príncipe a cada três dias, e mais frequentemente, se necessário. Deliberam sobre as questões públicas e resolvem rapidamente as controvérsias entre particulares, se ocorrer alguma, o que é raro. Dois sifograntes são convocados por revezamento a cada sessão do senado. Cuida-se que nada referente ao Estado seja

---

* Sifogrante – Por sua etimologia, significa "sábio de idade madura". (N.T.)

decidido sem ter sido levado à deliberação do senado três dias antes de um decreto ser votado. Discutir interesses públicos fora do senado e das assembleias constituídas é passível da pena capital. Isso foi decidido para tornar difícil qualquer aliança do príncipe e dos tranibores que pretendessem submeter o povo a uma tirania e modificar a forma do Estado. É por essa razão igualmente que toda questão considerada importante é apresentada à assembleia dos sifograntes, que a comunicam às famílias das quais são os representantes, deliberam entre si e depois levam sua opinião ao senado. Eventualmente o problema é submetido ao conselho geral da ilha.

O senado tem por norma jamais discutir imediatamente uma questão que lhe é proposta, mas de adiá-la para o dia seguinte. Com isso se quer evitar improvisações que seus autores procurariam sustentar a todo custo para fazer prevalecer sua opinião em detrimento do Estado, deixando de lado o interesse geral em favor de seu prestígio pessoal e não querendo reconhecer, por uma atitude intempestiva, que refletiram muito pouco, quando deveriam começar a falar menos apressadamente, e mais sabiamente.

Uma única atividade é comum a todos, homens e mulheres: a agricultura, que ninguém pode ignorar. Todos a aprendem desde a infância, por um ensinamento dado na escola e pela prática, nos campos vizinhos à cidade, aonde os escolares são levados à maneira de recreação. Eles não se limitam a observar; também trabalham, o que para eles é uma boa ginástica.

Além da agricultura, que todos conhecem, como eu disse, cada um aprende o ofício que lhe agrada e que será o seu. Trata-se sobretudo da tecelagem da lã ou do linho, do trabalho de pedreiro, de ferreiro ou de carpinteiro. As outras profissões ocupam tão poucos operários que não vale a pena falar delas. Com efeito, cada família confecciona ela própria suas roupas, cuja forma é a mesma para toda a ilha – diferenciando-se apenas para distinguir as mulheres dos homens, os casados dos solteiros –, a partir de um modelo que não varia há séculos, de aspecto agradável, bem adaptado aos movimentos do corpo e calculado para proteger igualmente do frio e do calor.

Cada um aprende um dos outros ofícios, tanto as mulheres quanto os homens. Sendo menos robustas, as mulheres fazem as tarefas menos pesadas, como tecer a lã e o linho. Os trabalhos mais fatigantes são confiados aos homens. A maior parte das crianças são educadas na profissão de seus pais, à qual geralmente são levadas por uma inclinação natural. Uma criança que aspire a um outro ofício se faz adotar numa família onde este seja praticado. Juntamente com seu pai, os magistrados cuidam que ela seja confiada a um chefe de família sério e honesto. Se alguém, conhecendo um ofício, quer aprender um outro, também poderá fazê-lo. Uma vez que souber os dois, exercerá o que preferir, a menos que o Estado tenha mais necessidade de um que de outro.

A principal e quase única função dos sifograntes é zelar que ninguém permaneça inativo, mas que se entregue ativamente a seu ofício, não porém a ponto de nele se esgotar do nascer do dia ao cair da noite, como um animal de carga, existência pior que a dos escravos, e que no entanto é a dos operários em quase todos os países, exceto em Utopia.

O dia solar é dividido em vinte e quatro horas de igual duração, seis das quais consagradas ao trabalho: três antes do meio-dia, seguidas de duas horas de repouso, e mais três terminadas com a refeição da noite*. Na oitava hora, que eles contam a partir do meio-dia, todos vão se deitar e dedicam oito horas ao sono.

Cada um é livre para ocupar como quiser as horas compreendidas entre o trabalho, o sono e as refeições – não para desperdiçá-las nos excessos e na preguiça, mas a fim de que todos, liberados de seus ofícios, possam se dedicar a uma boa ocupação de sua escolha. A maioria dedica essas horas de lazer ao estudo. Com efeito, toda manhã há lições acessíveis a todos, obrigatórias apenas àqueles pessoalmente destinados às letras. Mas homens e mulheres, de todas as profissões, comparecem a elas livremente, cada um escolhendo o ramo de ensino que melhor convém à sua forma de espírito. Se alguém prefere consagrar essas horas livres, por acréscimo, à sua profissão, como é o caso de muitos homens não atraídos por nenhuma ciência, nenhuma especulação, nada o impede de fazê-lo. Muito pelo contrário, felicitam-no por seu zelo em servir o Estado.

Após a refeição da noite, há uma hora de passatempos: no verão, nos jardins; no inverno, nas salas comuns que servem também de refeitório. Ali toca-se música, conversa-se. Os utopianos ignoram completamente os dados e todos os jogos desse gênero, absurdos e perigosos. Mas praticam dois jo-

---

* Na época de Morus, a jornada de trabalho para operários e camponeses, na Inglaterra, era de quatorze horas diárias, com duas de descanso. (N.T.)

gos que não deixam de ter uma semelhança com o xadrez. Um é uma batalha de números em que a soma mais elevada é vitoriosa; no outro, os vícios e as virtudes se enfrentam em ordem de batalha. Esse jogo mostra muito habilmente de que maneira os vícios fazem guerra uns aos outros, enquanto a concórdia reina entre as virtudes; quais vícios se opõem a quais virtudes; quais forças podem atacá-los de frente; por quais artimanhas eles podem ser pegos de viés; sob que proteção as virtudes impedem o assalto dos vícios; por quais artes elas frustram seus esforços; de que modo, enfim, um dos dois partidos estabelece sua vitória.

Nesse ponto, para desfazer um erro, devemos considerar atentamente uma objeção. Se todos trabalham apenas seis horas, pensarão vocês, não haverá inevitavelmente o risco de uma escassez de objetos de primeira necessidade?

Longe disso: com frequência, essa curta jornada de trabalho produz não apenas em abundância, mas também em excesso, tudo o que é indispensável à manutenção e ao conforto da vida. Vocês me compreenderão facilmente se pensarem na considerável parcela da população que permanece inativa entre os outros povos, a quase-totalidade das mulheres, em primeiro lugar, ou seja, a metade da humanidade; ou então, onde as mulheres trabalham são os homens que roncam em seu lugar. Acrescentem a isso os padres e os chamados religiosos, que formam um bando numeroso e ocioso. Acrescentem todos os ricos, sobretudo os latifundiários, os chamados nobres. Acrescentem seus lacaios, essa escória de patifes em armas; e os mendigos robustos e saudáveis que inventam uma invalidez para justificar sua preguiça. E verão que são bem menos numerosos do que supunham aqueles cujo trabalho provê as necessidades dos homens.

Perguntem-se agora quantos há, entre estes, cuja atividade tenha uma finalidade verdadeiramente útil. Avaliamos todas as coisas em dinheiro, o que nos leva a praticar muitas atividades totalmente inúteis e supérfluas, que estão simplesmente a serviço do luxo e do prazer. Essa quantidade de operários de hoje, se fosse distribuída entre os poucos ramos que utilizam realmente os produtos da natureza para o bem de todos, criaria tais excedentes que o aviltamento dos preços impediria os operários de ganhar a vida. Mas, se destinarmos a um trabalho útil todos os que produzem apenas objetos supérfluos e, além disso, toda essa massa que vive na ociosidade e na indolência, gente que desperdiça diariamente, com o trabalho dos outros, o dobro daquilo que o próprio produtor consome por sua conta, vocês verão que é preciso pouco tempo para produzir em quantidade necessária as coisas indispensáveis ou simplesmente úteis, sem sequer negligenciar o que pode contribuir para o prazer, contanto que este seja sadio e natural.

É o que se vê plenamente em Utopia. Em toda uma cidade com sua periferia, entre o conjunto dos homens e mulheres em idade e condições de trabalhar, não há uns cinquenta que estejam dispensados do trabalho. Mesmo os sifograntes, que a lei isenta do trabalho manual, o assumem voluntariamente, a fim de estimular os outros por seu exemplo. Gozam de uma imunidade análoga aqueles a quem o povo, por recomendação dos sacerdotes e por um voto secreto dos sifograntes, concede uma dispensa a fim de se dedicarem inteiramente aos estudos. Se um destes não cumpre as esperanças nele depositadas, ele é mandado a trabalhar com os operários. Em contrapartida, não é raro que um operário dedique às letras suas horas de lazer com tanto fervor, e obtenha por seu zelo tais resultados, que o dispensem da tarefa para promovê-lo entre os letrados.

É entre estes últimos que se escolhem os embaixadores, os sacerdotes, os tranibores e o próprio príncipe, chamado Barzanés, na língua antiga, Ademus, na atual.

Como quase todo o resto da população não é inativo nem está ocupado em fabricar coisas inúteis, vocês podem facilmente perceber que é preciso pouco tempo para produzir uma quantidade de bons produtos.

Ao que acabo de lembrar, deve-se ainda acrescentar que a maior parte das atividades úteis consome menos mão de obra do que a requerida noutros lugares. A construção e a manutenção dos prédios, por exemplo, requer em toda parte a intervenção contínua de numerosos operários, porque herdeiros dissipadores deixam deteriorar-se o que o pai construiu. O que poderia ser conservado a baixo custo terá de ser reedificado de cima a baixo, muito dispendiosamente. Também acontece com frequência que uma casa construída com grandes gastos por um homem seja desprezada pelo gosto exigente de um outro, que a abandona e a deixa arruinar-se, para erguer uma outra alhures, igualmente dispendiosa.

Entre os utopianos, ao contrário, depois que a Constituição foi aceita definitivamente, raramente ocorre que escolham um novo lugar para construir. Os prédios deteriorados são reparados no próprio local; previnem-se mesmo os estragos iminentes, a tal ponto que, com um mínimo de trabalho, as construções subsistem por muito tempo e os empreiteiros ficam às vezes sem obras. Eles são encarregados então de cortar e preparar, a domicílio, vigas de madeira e pedras, caso haja necessidade de erguer mais rapidamente uma construção.

Vejam ainda o quanto suas roupas requerem pouca mão de obra. Uma simples roupa de couro que pode durar até sete anos lhes é suficiente para ir ao trabalho. Para aparecerem em público, vestem por cima uma espécie de capa que cobre as roupas mais grosseiras. Essas capas têm, em toda a ilha, uma única e mesma cor, a da lã natural. Portanto se consome muito menos tecido que em qualquer outro lugar, e esse tecido custa bem menos. O trabalho do linho é ainda mais simplificado e seu uso mais difundido. Eles consideram no pano apenas a brancura, na lã a limpeza, sem darem o menor valor à delicadeza do fio. Disso resulta que todos se contentam com uma roupa que em geral dura dois anos, enquanto noutros lugares ninguém se julga satisfeito com quatro ou cinco roupas de lã de diversas cores, outras tantas de seda, sendo necessárias pelo menos dez para os mais refinados. Por que um utopiano desejaria ter várias roupas? Ele não estaria melhor protegido contra o frio e seu vestuário em nada pareceria mais elegante.

Assim, todos trabalham em objetos úteis que só são necessários em número limitado; a produção pode portanto tornar-se demasiado abundante.

A população é então levada a reparar as estradas se estiverem com defeitos. Também sucede com frequência que, na falta de qualquer trabalho desse gênero, seja decretada uma diminuição geral da jornada de trabalho. Com efeito, os magistrados não desejam fatigar os cidadãos inutilmente e contra a vontade deles. Pois a Constituição busca unicamente, na medida em que as necessidades públicas o permitam, assegurar a cada pessoa, para a liberação e o cultivo de sua alma, o maior tempo possível e um lazer desvencilhado de toda sujeição física. Nisso reside para eles a verdadeira felicidade.

Devo expor agora o que são as relações entre os cidadãos, as trocas de uma província a outra e como os recursos são repartidos.

Uma cidade é portanto composta de famílias, que resultam na maioria das vezes do parentesco em linhagem paterna. Com efeito, as jovens, quando núbeis, são dadas em casamento e vão viver na família de seu marido, enquanto os filhos e os netos permanecem na família e obedecem ao mais idoso de seus chefes, a menos que a idade tenha debilitado sua inteligência. Nesse caso ele é substituído pelo chefe imediatamente mais jovem.

Nenhuma cidade deve ver diminuir excessivamente sua população, nem tampouco ser superpovoada. Evita-se portanto que qualquer família – há seis mil em cada cidade, sem contar os distritos rurais – tenha menos de dez ou mais de dezesseis membros adultos. O número de filhos não poderia ser limitado. Essas normas são facilmente observadas graças à passagem, para uma família muito pouco numerosa, dos membros excedentes numa outra. Se, no conjunto, uma cidade tem gente demais, o excedente irá compensar o déficit de outra. Mas, quando a população total da ilha ultrapassa o nível julgado conveniente, recrutam-se em cada cidade cidadãos que vão estabelecer uma colônia governada segundo suas leis. Eles se dirigem a qualquer lugar onde haja terras desocupadas deixadas incultas pelos indígenas. Estes são convocados para saber se consentem em viver com eles. Os que eles consideram favoravelmente dispostos são associados numa comunidade de vida e de costumes, e isso para o maior benefício dos dois povos. Com efeito, seus princípios fazem seguidamente com que a mesma terra que produzia pouco pão para uma só população o produza para duas em abundância. Mas, se os indígenas recusam aceitar as leis dos utopianos, estes os expulsam do território que escolheram e lutam de armas na mão contra os que resistirem. Pois eles consideram que uma guerra se justifica eminentemente quando um povo recusa o uso e a posse de um solo a pessoas que, em virtude do direito resultante da natureza, deveriam ter do que se alimentar, quando esse próprio povo não se serve do solo, deixando-o como um bem inútil e vacante.

Se um acidente fizer cair a população de uma das cidades a ponto de os excedentes das outras, que não devem ficar abaixo da norma, não poderem restabelecê-la – o caso ocorreu duas vezes ao longo dos séculos, após uma epidemia de peste –, reinstalam-se em Utopia cidadãos chamados de volta de uma colônia. Pois eles preferem perder suas colônias a ver periclitar uma única de suas cidades.

Mas devo falar ainda das relações entre os cidadãos. O mais velho dos homens, como eu disse, é o chefe da família. As mulheres submetem-se a seus maridos, os filhos a seus pais e, de maneira geral, os mais jovens aos mais velhos. Toda cidade é dividida em quatro setores iguais. O centro de cada um deles é ocupado por um mercado para onde os objetos confeccionados pelas famílias são encaminhados e repartidos por espécies em lojas. Cada pai de família vai até lá solicitar tudo de que precisa para si e para os seus, e o leva sem pagamento, sem compensação de nenhuma espécie. Pois, por que recusar alguma coisa a alguém quando há abundância de todos os bens e ninguém receia que seu vizinho peça mais que o necessário? E por que solicitariam em excesso quando se sabe não haver risco de faltar nada? É a ameaça da penúria que faz ser ávido e rapace, como o constatamos entre todos os seres vivos; o homem acrescenta a isso o orgulho, que lhe é próprio e que lhe dá a ilusão de ultrapassar os outros por uma exibição de superfluidades. Os princípios dos utopianos não dão ensejo a esses maus sentimentos.

Aos mercados que acabo de mencionar somam-se centros de abastecimento para onde são levados legumes, frutas, pão e também peixes, e todas as partes comestíveis das aves domésticas e dos quadrúpedes. Esses mercados situam-se fora da aglomeração urbana, em locais apropriados onde a podridão e a sujeira podem ser lavadas em água corrente. É dali que são trazidos os animais mortos e limpos pelas mãos de escravos, pois os utopianos não admitem que seus cidadãos se habituem a esquartejar animais, temendo que nessa tarefa percam aos poucos as qualidades do coração próprias da humanidade. Tampouco toleram que seja levado para a cidade algo impuro ou sujo, ou cuja putrefação envenene o ar e provoque doenças.

Cada aglomeração dispõe de grandes salões regularmente espaçados, cada um designado por um nome. Eles estão sob a vigilância dos sifograntes. Trinta famílias, quinze de cada lado do prédio, são designadas para fazer ali suas refeições. Os provedores de cada salão vão numa hora determinada até o mercado para obter seus mantimentos, após terem declarado o número dos que devem ser alimentados.

Mas os provedores se ocupam em primeiro lugar com os doentes, os quais são tratados em hospitais públicos. Há quatro deles ao redor de cada cidade, um pouco além das muralhas, bastante amplos para que possam ser comparados a pequenas cidades. Assim os doentes, mesmo numerosos, não se sentem apertados e portanto incomodados; e podem ser isolados os que têm uma doença contagiosa. Esses hospitais são muito bem instalados, equipados de tudo que pode contribuir para uma cura. Cuidados são prodigalizados com tanta atenção e delicadeza, a presença de médicos experientes é tão constante que, embora não haja obrigação de ir para lá, não há por assim dizer ninguém na cidade inteira que não prefira, quando adoece, ser tratado antes no hospital que em sua casa. Depois que o provedor dos doentes obteve no mercado os alimentos prescritos pelos médicos, as melhores porções são equitativamente repartidas entre os diferentes salões, reservando-se partes para o prefeito da cidade, o grande sacerdote, os tranibores e os estrangeiros, se houver algum.

Estes raramente vêm à ilha, e sempre em pequeno número; domicílios especiais lhes são reservados.

Nas horas determinadas para o almoço e o jantar, todo um grupo de famílias, avisadas por um toque de clarim, se reúne nesses salões. Apenas não atendem a esse chamado os que estão acamados nos hospitais ou em suas casas. Entretanto, ninguém é proibido de buscar víveres no mercado, depois que os salões comuns são abastecidos. Sabe-se que ninguém o fará sem razão. Com efeito, embora haja permissão de comer em casa, isso não é feito de bom grado, pois é algo bastante malvisto. E considera-se absurdo preparar com dificuldade uma refeição menos boa quando uma outra, excelente e abundante, está à disposição num salão próximo.

Nesse refeitório, escravos realizam as tarefas mais sujas e fatigantes. A cozinha, o preparo dos alimentos e a ordem da refeição são incumbência exclusiva de mulheres, cada família enviando de cada vez as suas. Três mesas são preparadas, ou mais, conforme o número dos comensais. Os homens ficam ao longo da parede, as mulheres do lado exterior. Se elas forem acometidas de um mal-estar súbito, o que acontece frequentemente durante a gravidez, podem assim levantar-se sem incomodar ninguém e ir juntar-se às amas de leite.

Estas se encontram à parte, com suas crianças, num refeitório reservado, onde há sempre fogo e água pura, bem como berços onde deitar os bebês ou, se elas quiserem, desenfaixá-los no calor e deixá-los brincar. Cada mãe aleita os que ela pôs no mundo, a menos em caso de morte ou doença. Nesse caso, as esposas dos sifograntes põem-se logo em busca de uma ama de leite, e não têm nenhuma dificuldade de encontrá-las. As que podem prestar esse serviço se oferecem de bom grado, pois sua generosidade recebe de todos os maiores elogios, e a criança, ao crescer, considera sua ama de leite como mãe. No recinto das amas de leite estão reunidas todas as crianças que não completaram seu primeiro lustro.

Os adolescentes – e classificam-se assim todos aqueles de ambos os sexos que não atingiram a idade de casar – servem os comensais, ou então, se forem muito pequenos para isso, mantêm-se em silêncio ao lado deles. Todos se alimentam daquilo que os comensais lhes oferecem. Nenhum outro momento é previsto para suas refeições.

No lugar de honra, no meio da primeira mesa, disposta perpendicularmente às outras duas e em posição de destaque, sentam-se o sifogrante e sua mulher. A seus lados estão dois deões idosos; outros quatro deões presidem as outras mesas. Se há um templo na comunidade, o sacerdote e sua mulher assumem a presidência ao lado do sifogrante. À sua direita e à sua esquerda sentam-se pessoas mais jovens, depois novamente velhos, e assim sucessivamente para todo o grupo. Os contemporâneos são assim aproximados, misturando-se porém aos de uma idade diferente. Isso foi decidido a fim de que a seriedade e a autoridade de um velho afastem os jovens de todo comportamento incorreto e de toda excessiva liberdade em seus discursos.

Os pratos não são apresentados de lugar em lugar a partir do primeiro, mas oferecidos inicialmente aos velhos que têm lugares privilegiados à mesa, para que possam servir-se das melhores porções, e depois aos outros. De resto, os velhos consentem em beneficiar seus vizinhos com a porção que lhes coube, cuja quantidade não é tão grande que possa ser oferecida a todos. Assim presta-se aos anciões a homenagem que lhes é devida, e a satisfação deles é partilhada por todos.

As duas refeições começam por uma leitura moral, breve, para não cansar. A seguir, os mais velhos dão início a conversações decentes que não deixam de ser alegres, sem ocuparem toda a refeição com intermináveis monólogos; eles escutam inclusive os jovens e os incitam propositalmente a falar, a fim de conhecerem o caráter e a inteligência de cada um, graças à liberdade que uma refeição permite.

O almoço é bastante curto, o jantar prolonga-se um pouco mais, pois o primeiro é seguido de um período de trabalho; o segundo conduz apenas ao sono e ao repouso da noite, que eles julgam a melhor maneira de favorecer uma boa digestão. Nenhuma refeição transcorre sem música, e a sobremesa jamais é privada de guloseimas. Perfumes são queimados e espalhados no ar, nada se negligenciando do que possa agradar os comensais. Eles tendem a pensar que nenhum prazer é repreensível, contanto que não cause aborrecimento a ninguém.

Eis como se vive na cidade. Mas no campo, onde as habitações são muito disseminadas, come-se em casa. Nada falta ao abastecimento de uma família rural, pois são elas que fornecem tudo de que se alimentam os citadinos.

Se alguém tem vontade de visitar um amigo noutra cidade, ou de visitar essa própria cidade, ele obtém facilmente a autorização dos sifograntes e dos tranibores, a menos que uma necessidade o impeça. Os viajantes partem em grupo, com uma carta do prefeito da cidade atestando que têm licença de viajar e fixando o dia de seu retorno. Uma carroça lhes é dada com um escravo público que conduz os bois e toma conta deles. Aliás, se não estiverem acompanhados de mulheres, eles dispensam o veículo, que lhes parece antes uma carga e um estorvo. Sem carregarem nada consigo, nada entretanto lhes faltará durante a viagem, pois, onde quer que estiverem, estarão em casa. Se permanecem mais de um dia num lugar, ali exercem seu ofício próprio e são recebidos muito amigavelmente pelos operários de seu ramo. Se, por decisão própria, alguém conduz suas peregrinações para além de sua província e for apanhado sem autorização do prefeito, ele é vergonhosamente repreendido, considerado como um desertor e duramente castigado. Se for reincidente, será condenado a trabalhos forçados.

Se um cidadão sente vontade de passear pelos campos de seu distrito, poderá fazê-lo desde que tenha a concordância de seu pai e de sua esposa. Mas, em qualquer lugarejo aonde chegar, não receberá nenhum alimento antes de ter cumprido, tal como se praticam nesse lugar, as tarefas de um turno da manhã ou da tarde. Sob essa condição, cada um é livre para percorrer os territórios de sua região: ele será tão útil onde estiver como se ali habitasse.

Como veem, nenhum meio subsiste de furtar-se ao trabalho, nenhum pretexto para permanecer ocioso: nada de cabarés, de tavernas, de casas de jogos, nenhuma ocasião de libertinagem, nenhum antro, nenhum local de encontros amorosos. Sempre exposto aos olhos de todos, cada um é obrigado a praticar seu ofício ou a entregar-se a um lazer irreprochável.

O resultado disso é uma abundância de todos os bens que, igualmente espalhada sobre todos, faz com que ninguém possa ser indigente ou mendigo.

No senado de Amaurota, onde, como eu disse, se encontram todo ano três representantes de cada cidade, assim que se relataram as coisas que há em abundância num lugar e que faltam alhures, uma região imediatamente compensa por seus excedentes a penúria de outra. Ela o faz sem contrapartida, sem nada receber em troca daquilo que dá. Mas a que deu receberá por sua vez os produtos que lhe fazem falta sem tampouco precisar pagar. Desse modo, toda a ilha forma uma só família.

Assim eles garantem seu próprio abastecimento, que só consideram seguro após terem calculado as necessidades de dois anos, levando em conta a incerteza da próxima colheita. Feito isso, exportam para o estrangeiro uma grande parte de seus excedentes: cereais, mel, lã, madeira, tecidos escarlate e púrpura, peles, cera, banha, couro e também gado. Um sétimo de todas essas mercadorias é dada de presente aos pobres do país adquirente; o resto é vendido a um preço razoável. O comércio lhes permite fazer entrar em Utopia os produtos que faltam – pouca coisa além do ferro – e, além disso, uma grande quantidade de ouro e prata. Como eles praticam esse intercâmbio há muito tempo, não se poderia imaginar o valor do tesouro que acumularam.

Por isso eles pouco se preocupam em vender à vista ou a prazo, ou ainda se têm numerosos créditos a reaver. Quando estes são concedidos, eles ignoram os particulares e pedem ao Estado para garantir faturas regularmente estabelecidas. Esse Estado, no prazo de vencimento, exige o pagamento dos devedores privados, recolhe-o em seu tesouro e se beneficia dos juros até o momento em que os utopianos reclamam a quantia. Com frequência eles renunciam a ela, considerando injusto apropriar-se de uma coisa que não lhes é de nenhuma utilidade e que será retirada dos que dela se servem. Mas, se sobrevém um acontecimento que os obrigue a emprestar uma parte dessa quantia a um outro povo, então fazem valer seu direito, o que também é o caso quando precisam empreender uma guerra.

Eles não dão outro destino ao tesouro que conservam consigo senão usá-lo como reserva em caso de perigos graves ou imprevistos, principalmente se se trata de contratar soldados estrangeiros, que eles preferem expor ao perigo em vez dos nacionais, e aos quais dão um soldo enorme. Eles sabem muito bem que pagando um bom dinheiro podem-se comprar os próprios inimigos e fomentar entre eles seja a traição, seja a guerra civil. É com tal objetivo que acumulam essa imensa reserva, não porém da maneira como se conservam os tesouros noutros lugares, mas de uma outra que hesito em relatar, temendo que não creiam no que digo. Como não o temeria ao perceber que, se não tivesse visto com meus próprios olhos, eu dificilmente o teria admitido com base na palavra de um outro? Quanto mais o que se conta é contrário aos costumes dos ouvintes, tanto mais estes tenderão a ser incrédulos. No entanto, refletindo sobre a enorme distância entre nossas instituições e as deles, um observador atento talvez se espante menos de ver seu emprego da prata e do ouro corresponder às suas concepções e não às nossas.

Eles próprios não fazem uso algum da moeda. Conservam-na para um acontecimento que pode sobrevir, mas que pode também jamais ocorrer. Esse ouro e essa prata eles as conservam sem atribuir-lhes mais valor que o que comporta sua natureza própria. E quem não percebe que esta é bem inferior à do ferro, sem o qual os mortais não poderiam viver, como também não poderiam passar sem a água e o fogo, enquanto, ao contrário, a natureza não associou ao ouro e à prata nenhuma propriedade que nos seria preciosa, se a tolice dos homens não valorizasse o que é raro? A natureza, como a mais generosa das mães, pôs a nosso alcance imediato o que ela nos deu de melhor, o ar, a água, a própria terra; ao mesmo tempo, afasta de nós as coisas vãs e inúteis.

Assim, se essas reservas metálicas fossem escondidas numa torre qualquer, o príncipe e o senado poderiam ser suspeitos – tão grande é a tolice da multidão – de terem encontrado um artifício para enganar o povo e usufruírem eles próprios esses bens. Se mandassem fazer com elas, por ourives, taças de ouro e outros objetos trabalhados, e sobreviesse um acontecimento que obrigasse a fundi-los para pagar o soldo dos combatentes, as pessoas provavelmente não gostariam que lhos retirassem, tendo feito deles um dos prazeres de suas vidas.

Para evitar esses inconvenientes, eles imaginaram um meio que é tão conforme ao conjunto de suas concepções quanto estranho às nossas, nas quais o ouro é tão estimado e tão preciosamente conservado. Por não tê-lo visto funcionar, dificilmente se acreditará nele. Ao mesmo tempo que comem e bebem em utensílios de terracota ou de vidro, de forma elegante, mas sem valor, eles fazem de ouro e de prata, tanto para as casas privadas quanto para os salões comuns, vasos noturnos e recipientes destinados aos usos mais imundos. Também fazem com eles correntes e pesadas peias para prender seus escravos. Enfim, aqueles que uma falta grave tornou infames levam nas orelhas e nos dedos anéis de ouro, uma corrente de ouro no pescoço, um diadema de ouro na cabeça. Todos os meios lhes servem assim para degradar o ouro e a prata, de tal maneira que esses metais, que em outros lugares só se deixam arrancar tão dolorosamente quanto as entranhas, em Utopia, se uma circunstância exigisse seu confisco total, não fariam ninguém julgar-se empobrecido de um vintém.

Eles recolhem também pérolas ao longo das costas e, em certas rochas, diamantes e granadas. Não saem em busca para descobri-los, mas os pulem quando os encontram e enfeitam com eles as crianças que, quando pequenas, se glorificam com esses belos ornamentos. Estas, porém, ao crescerem e verem que somente as crianças usam tais bagatelas, desfazem-se delas sem esperar uma advertência dos pais, exatamente como as nossas renunciam às nozes de brinquedo, à medalha pendurada no pescoço, à boneca.

O quanto essas instituições, tão diferentes das de outros povos, podem produzir nos espíritos impressões igualmente diferentes, jamais pude compreendê-lo melhor que à chegada dos delegados de Anemolia.

Eles vieram a Amaurota quando eu estava lá, encarregados de tratar de grandes interesses. Assim cada cidade enviou três cidadãos para recebê-los. Embaixadores dos países vizinhos haviam sido recebidos precedentemente. Conhecendo os costumes dos utopianos, sabendo que estes não dão valor às vestes suntuosas, que desprezam a seda e consideram inclusive o ouro como infame, eles já estavam habituados a vir vestidos o mais modestamente possível. Os anemolianos habitam mais longe e têm menos relações com Utopia. Quando souberam que lá todo mundo se vestia do mesmo modo e de uma forma muito primitiva, imaginaram que era por não terem algo melhor e, mais por vaidade que por sabedoria, decidiram aparecer como deuses no esplendor de sua pompa e deslumbrar os olhos dos pobres utopianos pelo brilho de seus adornos. Foi assim que se viu chegarem três embaixadores com um séquito de cem homens, todos em roupas multicoloridas, a maior parte de seda. Os embaixadores – grandes senhores em seu país – vestiam mantos tecidos de ouro, pesados enfeites nos braços e nas orelhas e correntinhas suspensas em seus chapéus resplandecentes de pérolas e pedras preciosas, ornados, enfim, de tudo aquilo que em Utopia serve para punir os escravos, marcar o infame, divertir as crianças. Que espetáculo vê-los levantar a crista comparando seus babados com a roupa dos utopianos, pois todo o povo estava nas ruas! Não menos divertido, de resto, era ver o quanto se enganavam na sua expectativa, o quanto estavam longe do efeito esperado. De fato, aos olhos de todos os utopianos, com exceção de uns poucos que por um bom motivo haviam visitado países estrangeiros, toda essa magnificência era a libré da vergonha.

De tal maneira que saudavam respeitosamente pessoas comuns, como se fossem senhores, enquanto deixavam passar sem a menor reverência os próprios embaixadores, que supunham ser escravos por causa de suas correntes de ouro. Vocês teriam visto inclusive crianças, que haviam ultrapassado a idade das pérolas e dos diamantes, darem cotoveladas em suas mães ao verem os chapéus dos embaixadores, dizendo: "Olha, mamãe, esse grande idiota que ainda usa pérolas e pedrarias como se fosse um bebê", e a mãe respondendo com a maior seriedade do mundo: "Silêncio, filho, deve ser um dos bufões do embaixador". Outros criticavam essas correntes de ouro, dizendo que não podiam servir para nada, tão frágeis que um escravo as romperia facilmente, tão folgadas que se desvencilharia delas quando quisesse, para fugir em seguida, livre como o vento.

Dois dias foram suficientes aos embaixadores para ver a quantidade de ouro que lá existia, considerado como algo insignificante, objeto de um desprezo equivalente à honra que lhe prestavam em seu país, tão bem empregado para punir um escravo desertor que apenas seus grilhões corresponderiam ao aparato inteiro de três deles. Assim, tiveram de baixar a crista, envergonhados de continuar usando as mesmas roupas que vaidosamente tinham exibido, sobretudo depois de conhecerem um pouco mais familiarmente os utopianos e serem iniciados a seus costumes e opiniões.

Com efeito, estes se espantam que um mortal possa se comprazer tanto com o brilho incerto de uma pequena gema, quando pode contemplar as estrelas e o sol; que exista alguém tão insensato para se considerar enobrecido por uma vestimenta de uma lã mais fina. Pois, afinal, por mais delicado que seja o fio, a lã esteve outrora no lombo de uma ovelha e nunca deixará de ser ovelha. Eles se espantam também que o ouro, por natureza de pouca serventia, seja hoje em toda parte tão prezado, mais prezado até que o homem por quem e para quem seu valor foi conferido; a tal ponto que um pacóvio, burro como uma porta e tão desonesto quanto tolo, tem no entanto sob sua dependência homens probos e instruídos, unicamente porque possui uma grande quantidade de peças de ouro. Essa mesma quantidade, se um golpe da fortuna ou uma astúcia das leis (tão capazes quanto a fortuna de inverter as situações) a retirar desse senhor para dá-la ao mais abjeto de seus lacaios, fará dele um lacaio de seu lacaio, como se ele fosse apenas um acessório de sua moeda. Eles compreendem menos ainda e detestam ainda mais a insensatez daquele que presta honras quase divinas aos ricos a quem não deve nada, pela simples razão de serem ricos, quando os sabe sordidamente avarentos e que não terá a menor moedinha desse pecúlio enquanto seu dono viver.

Tais concepções e outras do mesmo gênero, os utopianos as receberam de sua educação – formados num Estado cujas instituições estão muito distantes de todos esses absurdos – e também através da escola e dos livros. Apenas um pequeno número deles em cada cidade é dispensado dos outros trabalhos e designado para a cultura exclusiva do espírito, aqueles nos quais se reconheceu desde a infância um dom particular, uma inteligência superior, uma propensão marcada para a vida intelectual. Mas todas as crianças recebem uma instrução. E uma grande parte do povo, tanto as mulheres quanto os homens, dedica ao estudo, durante toda a sua vida, as horas que o trabalho, como dissemos, deixa livres.

Para aprender as ciências eles se servem de sua língua nacional. De fato, esta tem um vocabulário rico, é harmoniosa, feita como nenhuma outra para traduzir os sentimentos da alma. Com umas poucas alterações regionais, ela é comum a vastas regiões desse universo.

De todos os filósofos cujos nomes são célebres em nossa parte do mundo, nada se soube entre eles antes de nossa chegada; no entanto, no que concerne à música e à dialética, à ciência dos números e das medidas, eles fizeram aproximadamente as mesmas descobertas que nossos antepassados. Mas, se igualam os antigos em quase todas as coisas, permanecem muito aquém das recentes invenções da dialética, incapazes de conceber uma única dessas regras sutis, que nossas crianças aprendem correntemente, sobre as restrições, amplificações e suposições minuciosamente expostas nos Pequenos Tratados de Lógica*. Tampouco chegam a investigar as intenções segundas. E o homem em geral, como é dito – ainda que gigantesco, maior que qualquer colosso, e que saibamos desenhá-lo com o dedo –, ninguém entre eles conseguiu vê-lo até hoje.

Em troca, são muito instruídos sobre o curso dos astros e o movimento dos corpos celestes. Engenhosamente inventaram vários tipos de instrumentos para determinar com exatidão os deslocamentos

---

* Pequenos Tratados de Lógica – Morus ridiculariza aqui o ensino de filosofia escolástica de seu tempo. (N.T.)

e posições do sol, da lua e dos outros astros que se veem sobre o horizonte deles. Quanto a amizades e hostilidades provenientes das estrelas errantes, quanto à impostura da adivinhação pelos astros, nem cogitam nisso. As chuvas, os ventos e outras mudanças de tempo são previstos graças a sinais precursores reconhecidos de longa data. Sobre as causas desses fenômenos, das marés, da salinidade dos mares e, em geral, da origem e da natureza do céu e do universo, eles falam às vezes como nossos antigos filósofos, outras vezes, nos pontos em que nossos autores estão em desacordo, apresentam também explicações novas e diferentes, sem de resto concordarem entre si sobre todos os pontos.

No domínio da filosofia que trata dos costumes, eles discutem, como nós, sobre os bens da alma, os bens do corpo, os bens exteriores, perguntando-se se todos podem ser designados como bens ou se esse nome cabe apenas aos dons do espírito. Discorrem sobre a virtude e o prazer. Mas seu principal tema de controvérsia é saber em que consiste a felicidade humana, se ela é una ou múltipla. Sobre esse assunto, eles me parecem um pouco propensos demais à seita que prega o prazer e vê nele, se não a totalidade da felicidade, pelo menos seu elemento essencial*. E o mais espantoso ainda é que é da religião, não obstante ser algo sério, austero, estrito, rígido, que tiram os argumentos em favor de uma doutrina tão condescendente. Com efeito, eles jamais discutem acerca da felicidade sem confrontar os princípios ditados pela religião com a sabedoria resultante da razão, julgando esta incapaz de descobrir a verdadeira felicidade sem o amparo da outra.

---

* Elemento essencial – Alusão ao epicurismo. (N.T.)

Seus princípios religiosos são os seguintes. A alma é imortal, a bondade de Deus a destinou à felicidade. Uma recompensa está reservada a nossas virtudes e a nossas boas ações, castigos a nossas más ações. Essas verdades são certamente do domínio da religião; todavia, eles acham que a razão é capaz de conhecê-las e de admiti-las. Uma vez abolidos tais princípios, dizem eles sem hesitação, ninguém seria bastante cego para não perceber que é preciso buscar o prazer a qualquer preço, contanto que um prazer menor não seja obstáculo a um maior, e que um sofrimento não faça expiar aquele que o tiver perseguido. Pois seguir a virtude, por um caminho escarpado, difícil, repudiar toda doçura de viver, suportar deliberadamente a dor sem esperar disso nenhum fruto – que fruto haveria se, após a morte, nada espera aquele que atravessou a presente vida recusando suas doçuras, conhecendo apenas suas misérias? –, seria, dizem eles, uma pura insensatez.

Só que a felicidade, para eles, não reside em qualquer prazer, mas no prazer correto e honesto para o qual nossa natureza é atraída, como para seu bem supremo, por aquela mesma virtude na qual a seita oposta* coloca a felicidade com exclusão de qualquer outro domínio. Pois eles definem a virtude como uma vida de acordo com a natureza, Deus tendo nos destinado a isso. Vive de acordo com a natureza quem obedece à razão quando esta aconselha a desejar certas coisas e evitar outras. A natureza primeiro preenche os mortais de um grande amor, de uma ardente veneração pela majestade divina, à qual devemos tanto nosso próprio ser quanto a pos-

---

* A seita oposta – A dos estoicos. (N.T.)

sibilidade de alcançar a felicidade. Ela nos incita, a seguir, a levar uma vida tão isenta de tormentos, tão repleta de alegrias quanto possível, e a ajudar todos os outros, em virtude da solidariedade que nos une, a obter o mesmo. Com efeito, o mais sombrio, o mais austero zelador da virtude, o mais feroz inimigo do prazer, embora te recomendando trabalhos, vigílias e macerações, jamais deixa de te ordenar ao mesmo tempo que alivies o quanto puderes as privações e os sofrimentos dos outros, e considera louvável, em nome da humanidade, a ajuda e o consolo dados pelo homem ao homem. Se a humanidade, essa virtude mais que qualquer outra natural ao homem, consiste essencialmente em atenuar os males dos outros, aliviar seus sofrimentos e, com isso, dar mais alegria às suas vidas, ou seja, mais prazer, por que a natureza não incitaria também cada um a prestar o mesmo serviço a si mesmo?

Com efeito, das duas, uma. Ou uma vida agradável, isto é, rica em prazeres, é má e, nesse caso, longe de ajudar alguém a obtê-la, cumpre ao contrário retirá-la de todos como algo prejudicial e pernicioso; ou, se te é não apenas permitido, mas ordenado, propiciá-la aos outros como um bem, então não há por que não concedê-la primeiramente a ti mesmo, que tens o direito de ser tão benévolo contigo quanto com os outros. A natureza te recomenda ser bom para com teu próximo; ela não te ordena ser cruel e impiedoso contigo mesmo. A própria natureza, dizem eles, nos prescreve uma vida feliz, isto é, o prazer, como a finalidade de todas as nossas ações. Eles definem inclusive a virtude como uma vida orientada de acordo com esse princípio.

A natureza convida portanto todos os mortais a se darem uma ajuda recíproca tendo em vista uma vida mais risonha: sábio conselho, ninguém estando tão acima da sorte comum que a natureza deva ocupar-se apenas dele, ela que quer o mesmo bem para todos os seres que reuniu num grupo único por sua participação numa forma comum. Essa mesma natureza, por conseguinte, te prescreve renunciar a benefícios que se pagariam com perdas para outrem.

Por isso eles consideram ser preciso respeitar os acordos entre os particulares, bem como as leis do Estado, em vista de uma boa repartição dos bens da vida que são a substância mesma do prazer, seja que um bom príncipe os tenha legalmente promulgado, seja que um povo livre de toda tirania e de toda influência sorrateira os tenha sancionado de comum acordo. Velar por sua vantagem pessoal sem ofender as leis, eis a sabedoria; trabalhar além disso pela vantagem da comunidade, eis a piedade. Mas roubar o prazer de outrem ao buscar o seu é verdadeiramente uma injustiça, enquanto privar-se de algo em favor de outrem é verdadeiramente um ato humano e generoso. De resto, esse ato comporta mais benefício que perda, sendo compensado pela reciprocidade, pela consciência do serviço prestado, pelo reconhecimento e a amizade dos beneficiados, a alma obtendo assim mais alegria que o corpo a teria encontrado no objeto ao qual renunciou. Deus, enfim – a religião convencerá facilmente disso um coração que se entregou a ela –, compensa um prazer breve e limitado por uma felicidade imensa e sem fim. Desse modo, tudo considerado maduramente, os utopianos julgam que todas as nossas ações e as virtudes que nelas colocamos tendem ao prazer, que é sua feliz realização.

Eles designam como prazer todo movimento e todo repouso do corpo que a natureza nos faz julgar agradável. Insistem com razão sobre a tendência da natureza. O que é agradável em si, que se atinge sem nada fazer de injusto, sem nada perder de mais agradável, sem ter de pagá-lo com um sofrimento, não são somente os sentidos que levam a isso, mas a correta razão. Mas há coisas a que os homens atribuem, em virtude de uma vã convenção (como se lhes coubesse mudar as realidades tão facilmente como se mudam os nomes), uma doçura que a natureza não lhes deu. Os utopianos acham que estas, longe de contribuir para a felicidade, se opõem a ela, sobretudo ao se instalarem no espírito sem deixar mais nenhum lugar às verdadeiras delícias, pois ocupam toda a alma com uma concepção errônea do prazer.

Muitas coisas, com efeito, não contêm por natureza nada que contribua para a felicidade, e sim muitos elementos contrários a ela. Somente a perversa sedução do desejo as fez serem tomadas como os maiores prazeres, como as principais razões de viver.

Os utopianos classificam entre as pessoas que cedem ao falso prazer aqueles que, como eu já disse, se julgam melhores porque possuem uma roupa melhor, no que se enganam duplamente, tanto em relação à roupa quanto a si próprios. Pois em que medida, se considerarmos o uso, uma lã mais fina seria melhor que uma mais grosseira? Eles se creem munidos de uma superioridade real, quando esta é apenas ilusória, e levantam a crista, convencidos de terem acrescentado algo a seu valor pessoal, julgando-se dignos, por uma roupa mais suntuosa, de um respeito que não teriam ousado esperar se estivessem mais simplesmente vestidos, e sentem-se muito mal se não dermos atenção a eles.

Essa sensibilidade a honrarias vãs e sem proveito não provém de uma idêntica falta de inteligência? Que prazer autêntico pode proporcionar a visão de um homem de cabeça raspada, de joelhos dobrados? Acaso seus joelhos doloridos ficarão curados dessa forma, ou o frenesi que habita seu crânio? Vemos delirar de alegria, na mesma ilusão de um prazer imaginário, os que se orgulham de ser nobres porque tiveram a chance de ter antepassados que o foram: gente que durante muitas gerações foi considerada rica – e a nobreza atualmente não o é mais – sobretudo em bens de raiz. Eles se julgam nobres mesmo se seus antepassados não lhes deixaram absolutamente nada, ou se eles próprios consumiram a herança.

Os utopianos classificam na mesma categoria os doidos por gemas e pedras preciosas, que se sentem como deuses, poderíamos dizer, quando conseguem uma raridade, sobretudo se for da espécie em voga no momento, pois cada uma delas tem seus aficionados e suas épocas. Eles compram a pedra nua, separada de seu engaste de ouro, e o vendedor deve jurar que ela é autêntica, tal o temor de que os olhos se deixem enganar. Mas por que a falsa daria menos prazer aos olhos de alguém incapaz de distingui-la de uma verdadeira? Não há mais diferença entre elas para um vidente que para um cego.

Outros trancam a chave riquezas inúteis cuja acumulação não lhes é de nenhum proveito, mas cuja contemplação os encanta: será que têm um prazer verdadeiro ou são os joguetes de uma ilusão? Outros ainda, por uma aberração inteiramente oposta, esconderam o ouro que jamais lhes servirá, que jamais voltarão a ver, e que eles perdem por temor de perdê-lo. Pois subtrair o ouro a si mesmo e a todos os mortais não significa devolvê-lo à terra? E no entanto dançam de alegria por um tesouro escondido como se estivessem certos da salvação de sua alma. Se alguém o retirasse sem o conhecimento de seu dono e este sobrevivesse dez anos a seu ouro roubado, que diferença haveria para ele entre o ouro intacto e o ouro desaparecido? Em ambos os casos, ele teria tido exatamente o mesmo proveito.

Os utopianos julgam igualmente imaginário o prazer dos jogadores, cujo absurdo conhecem apenas por ouvir dizer, e também o dos caçadores e passarinheiros. Que há de agradável, dizem eles, em jogar dados sobre um tabuleiro, e em fazê-lo tantas vezes que a simples repetição bastaria para tornar o divertimento fastidioso? E que delícias podem proporcionar o latido, o uivo dos cães? Por que o espetáculo de um cão perseguindo uma lebre nos daria mais prazer que o de um cão perseguindo um cão? Os dois se equivalem. Há corrida, se é a corrida que nos encanta. Mas, se é a expectativa da morte e da carnificina que se fará sob nossos olhos, deveríamos antes nos apiedar da pequena lebre dilacerada pelo cão, do mais fraco pelo mais forte, do fugitivo, do tímido pelo impetuoso, do inofensivo pelo cruel. Considerando a caça como um exercício indigno de homens livres, os utopianos a reservam a seus carniceiros cujo ofício, como dissemos, é praticado por escravos. Eles consideram inclusive a caça como o grau mais baixo dessa função, os outros sendo mais úteis e honráveis, já que prestam serviço e apenas destroem seres vivos por uma razão de necessidade; o caçador, ao contrário, se compraz gratuitamente com a morte e o despedaçamento de um pobre animal. Sentir prazer em ver morrer, mesmo um animal, supõe, pensam eles, uma disposição natural à crueldade, ou então conduz a ela, pelo exercício constante de uma volúpia tão selvagem.

Eis aí divertimentos que, com outros do mesmo gênero, a opinião corrente considera como prazeres, o que os utopianos contestam, declarando categoricamente que nada contêm que seja delicioso por natureza, nada tendo portanto em comum com o prazer verdadeiro. Eles podem adular comumente os sentidos, o que é tido como a ação do prazer, sem levar os utopianos a mudar de opinião, pois o que age não é a natureza do objeto, mas um hábito depravado que faz apegar-se às coisas amargas em vez das coisas doces, exatamente da mesma forma que as mulheres grávidas, com seu gosto alterado, acham mais deleitáveis a resina e a banha que o mel. Um julgamento alterado pela doença ou pelo hábito é incapaz de mudar a natureza do prazer, como a de qualquer outra coisa.

Os utopianos formam vários grupos dos prazeres que declaram verdadeiros, relacionando uns à alma, outros ao corpo. À alma pertencem a inteligência e a alegria que nasce da contemplação da verdade, bem como a doce lembrança de uma vida bem vivida e a firme esperança de um bem por vir. Eles dividem em duas espécies os prazeres do corpo. A primeira compreende a satisfação evidente, certa, que inunda os sentidos, como acontece primeiramente quando se renovam os elementos dos quais se alimenta nosso calor vital, restaurados pela comida e a bebida, e também quando se evacua tudo o que nosso corpo contém em excesso. Esse prazer nos é proporcionado quando liberamos os intestinos dos excrementos, ou quando engendramos filhos, ou quando aliviamos pruridos, esfregando-nos, coçando-nos a pele.

Às vezes, porém, há um prazer que nada oferece daquilo que nossos membros necessitam, nada retira do que lhes incomoda. Ele tem uma força secreta, e no entanto manifesta, que comove, encanta e seduz: tal é o efeito da música.

Os prazeres da segunda espécie, dizem eles, resultam do repouso e do equilíbrio do corpo, como cada um os sente quando nada altera sua saúde. Esta, quando nenhum sofrimento a perturba, agrada por si mesma, sem que nenhum prazer extrínseco precise se acrescentar. Ela é menos evidente e se acompanha de sensações mais sutis que o gozo ostensivo da bebida e da comida. Muitos utopianos, porém, conferem a ela o primeiro lugar entre os prazeres, e a maior parte a considera da maior importância, fundamento e princípio de todos os outros prazeres, o único capaz de assegurar uma vida serena e desejável, e de impedir, quando ausente, qualquer prazer que seja. Pois a ausência de dor, quando falta a saúde, eles a chamam torpor e não prazer.

Há muito eles condenaram a teoria dos que recusam classificar entre os prazeres uma saúde estável e tranquila, sob pretexto de que a presença dela não poderia ser percebida sem a intervenção de um choque vindo do exterior. A questão foi intensamente debatida entre eles, que concluíram quase por unanimidade fazer da saúde, no mais alto grau, um prazer. Assim como a dor, irreconciliável inimiga do prazer, está presente na doença, assim também, sendo a doença inimiga da saúde, a paz que resulta da saúde deve comportar um prazer, dizem eles. Quer a saúde seja um prazer por si mesma, quer engendre necessariamente um prazer tal como o calor nasce do fogo, em ambos os casos o prazer não pode faltar aos que gozam de uma saúde inalterável. O que ocorre quando não comemos?, dizem eles ainda. Não é a saúde que se sente ameaçada e trava um combate, com a ajuda do alimento, contra a fraqueza? À medida que ela recupera forças, cada um dos progressos que a traz de volta a seu vigor habitual renova o prazer que sentimos em nos restaurar. A saúde experimenta o gozo ao longo de todo o combate; como não estaria satisfeita uma vez obtida a vitória? Recobrado seu vigor inicial, objetivo da luta, irá ela cair num torpor em que cessará de reconhecer o que lhe é bom e de dirigir-se a isso? Com efeito, eles não admitem que a saúde seja um estado do qual não temos consciência. Que homem desperto, dizem eles, a menos que perca a razão, não tem o sentimento de sua própria saúde? Se não estiver paralisado nem em letargia, ele não deixará de reconhecer que a saúde lhe é agradável, deleitável. E o que é o deleite senão um outro nome para o prazer?

Eles apreciam eminentemente os prazeres da alma, que consideram como os primeiros e os mais excelentes de todos, e cuja maior parte resulta, para eles, da prática das virtudes e da consciência de levar uma vida louvável. E dão a primazia à saúde entre os prazeres do corpo, já que é unicamente em vista dela que devemos desejar, dizem eles, os prazeres da bebida e da comida e das outras funções semelhantes. Essas coisas, de fato, não são deleitáveis em si, mas somente na medida em que impedem uma doença de insinuar-se sorrateiramente em nós. Um sábio preferirá prevenir a doença a solicitar remédios; manter as dores afastadas a recorrer a calmantes; abster-se enfim dos prazeres cujos malefícios teria de reparar. Se alguém coloca sua felicidade nos prazeres dessa última espécie, ele deve então reconhecer que o máximo de felicidade será uma vida partilhada entre a fome, a sede e o prurido, de um lado, e, de outro, o comer, o beber e o coçar. E quem não veria que uma vida assim é não apenas feia, mas lastimável? Tais prazeres situam-se portanto no nível mais baixo, por serem os menos verdadeiros, estando sempre ligados a um sofrimento que é sua contrapartida. Com efeito, ao prazer de comer está associada a fome, mas não num pé de igualdade. A dor é mais violenta e mais duradoura, pois nasce antes do prazer e, quando morre, o prazer morre ao mesmo tempo.

Eles acham portanto que não se deve dar grande importância aos prazeres desse gênero, a não ser na medida em que estão ligados à necessidade. No entanto encontram alegria neles, e agradecem à generosidade da natureza, nossa mãe, de ter posto, para seus filhos, atrativo e encanto nas funções que eles devem cumprir regularmente. Como seria triste a vida se, como certas doenças que nos visitam raramente, a cotidiana doença da fome e da sede só fosse curável à força de venenos e de drogas amargas!

Em troca, os utopianos têm em alta estima a beleza, a força, a agilidade, vendo nelas verdadeiros dons da natureza, feitos para nos alegrar. Os prazeres que entram pelos ouvidos, pelos olhos, pelas narinas, que a natureza reservou ao uso exclusivo do homem, já que nenhuma outra espécie viva percebe a beleza do mundo, nem se sensibiliza pelo encanto dos odores que indicam a presença dos alimentos, nem distingue entre os sons os intervalos de que resultam acordes justos e harmoniosos, todos esses prazeres são por eles buscados como agradáveis condimentos da vida.

Mas eles sempre obedecem ao princípio de que um prazer menor não deve ser obstáculo a um maior, nem arrastar a dor atrás de si e – o que consideram como evidente – jamais ser desonesto.

Por outro lado, desprezar a beleza do corpo, arruinar suas forças, amolecer sua agilidade na preguiça, esgotar o corpo à força de jejuns, destruir a saúde, rejeitar com desprezo as doçuras da natureza, sem esperar disso um acréscimo de bens para outrem ou para o Estado nem uma alegria superior pela qual Deus recompensaria o sacrifício, destruir-se sem proveito para ninguém, por uma vã aparência de virtude, com a ideia de poder suportar mais facilmente um revés da fortuna que talvez jamais ocorra: eis o que eles consideram ser o cúmulo da loucura, o ato de uma alma malvada consigo mesma e supremamente ingrata com a natureza, já que a dispensa com todos os seus benefícios, como se tivesse vergonha de ter essa dívida em relação a ela.

Eis o que eles pensam da virtude e do prazer. A menos que uma religião ditada pelo céu inspire ao homem uma doutrina mais santa, eles acham que a razão humana não poderia descobrir outra mais verdadeira. Não nos compete examinar essa opinião e, de resto, isso não é necessário, já que decidimos descrever suas instituições e não as justificar.

Todavia, sejam quais forem essas teorias, estou plenamente convencido de que não existe em parte alguma um povo mais excelente nem um Estado mais feliz. Seus corpos são flexíveis e ágeis, mais vigorosos que sua estatura o indica, embora esta seja bastante elevada. Seu solo está longe de ser dos mais férteis, nem seu clima dos mais saudáveis. Mas a temperança de seu regime os protege contra os maus ares, e eles põem tamanho zelo em melhorar seu território que não há país onde as colheitas e os rebanhos sejam mais abundantes, onde os homens vivam mais tempo e menos expostos às doenças. Vocês veriam lá, cuidadosamente executadas, as tarefas de todo agricultor para melhorar, à custa de trabalho e engenho, uma terra ingrata por natureza. Mas eles fazem ainda mais. Num determinado local, toda uma floresta é desbravada e reconstituída noutro local com a intenção, não de produzir mais, mas de facilitar o transporte, a fim de haver madeira nas proximidades do mar, dos rios e das cidades. Com efeito, é mais fácil transportar cereais por via terrestre do que trazer madeira de uma longa distância. Os utopianos são um povo amável, alegre, industrioso; saboreiam suas horas de descanso, suportam o que for necessário em matéria de trabalhos físicos e são infatigáveis nos trabalhos do espírito.

Quando eles nos ouviram falar das letras e da ciência dos gregos – pois não puderam ter grande estima pelos latinos, exceto por seus historiadores e poetas –, demonstraram um zelo admirável em querer aprofundá-las, ajudados por nossas explicações. Começamos por leituras comentadas, incialmente mais para não parecermos recusar-lhes esse serviço do que na esperança de tirarem algum proveito. Mas, à medida que avançávamos, percebendo a assiduidade deles, compreendemos que a nossa não estava sendo desperdiçada. Eles passaram a imitar tão facilmente a forma das letras, a pronunciar tão bem as palavras, a retê-las tão depressa, a reproduzi-las tão fielmente, que ficamos maravilhados. Na verdade, a maioria de nossos ouvintes, vindos espontaneamente ou designados pelo Senado, eram pessoas de idade madura ou espíritos distintos pertencentes à classe dos letrados. Não precisaram três anos para se tornar mestres da língua e ler correntemente os bons autores, quando não eram detidos por alterações do texto.

Se se apropriaram tão rapidamente dessa literatura, penso que foi em virtude de um certo parentesco. Creio adivinhar que sejam gregos de origem. De fato, sua língua, aliás muito semelhante à persa, conserva alguns vestígios do grego nos nomes das cidades e das magistraturas. Ao partir para a quarta expedição, eu havia embarcado, à guisa de pacotilha, uma razoável bagagem de livros, decidido a só retornar o mais tarde possível. É assim que eles devem a mim a maior parte dos tratados de Platão, alguns de Aristóteles, a obra de Teofrasto sobre as plantas, infelizmente mutilada em vários lugares. Durante a viagem um macaco havia descoberto o livro, com o qual não tivéramos muito cuidado, arrancando e rasgando algumas páginas em suas brincadeiras. Como gramático, eles têm apenas Lascáris. Não levei Teodoro nem qualquer dicionário, exceto Hesíquio e Dioscórides. Eles adoram os pequenos tratados de Plutarco e apreciam o espírito e a graça de Luciano. Entre os poetas, têm Aristófanes, Homero e Eurípedes, bem como um Sófocles em caracteres pequenos editado pelos Aldes; entre os historiadores, Tucídides, Heródoto e Herodiano. Meu amigo Trício Apinato* trazia consigo alguns opúsculos de Hipócrates e *A Pequena Técnica* de Galeno, que eles apreciam muito. Embora haja poucos povos no mundo para quem a medicina é tão pouco necessária, não há nenhum onde ela seja tão honrada; com efeito, as descobertas da medicina figuram como as partes mais belas e úteis daquela filosofia com a qual eles penetram os segredos da natureza, o que lhes dá alegrias admiráveis e lhes vale o favor de seu autor, o operário de todas as coisas. Este, agindo como fazem todos os operários, pensam eles, expôs a máquina do mundo a fim de que fosse contemplada pelo homem, o único ser capaz de compreendê-la; ele preferirá portanto um espectador atento e interessado, que admire sua obra, a um que permanece passivo como um animal e ignora esse grande espetáculo.

Aguçado pelas letras, o espírito dos utopianos é eminentemente próprio a inventar procedimentos capazes de melhorar as condições de vida. Eles nos devem duas artes, a imprensa e a fabricação do papel; a bem dizer, colaboraram largamente nisso. Mostramos-lhes volumes em papel, impressos em caracteres dos Aldes; falamos-lhes dos materiais ne-

---

* Trício Apinato – Personagem fictício cujo nome é tirado de um epigrama de Marcial. (N.T.)

cessários à fabricação do papel e da técnica de impressão, sem dar-lhes explicações mais precisas, já que nenhum de nós tinha a menor experiência em nenhuma delas. Imediatamente, aplicando-se, eles adivinharam o resto. Seus escritos anteriores tinham por suporte peles, cascas de árvores e papiro. Ao tentarem produzir papel e imprimir, o resultado inicial foi insatisfatório. Mas, à força de repetirem as tentativas, logo se tornaram mestres nas duas artes. Basta-lhes ter um primeiro manuscrito de um texto grego para que o transformem em volumes impressos. Atualmente não têm outros textos além dos que mencionei, mas essas obras já estão impressas e publicadas em vários milhares de exemplares.

Eles recebem de braços abertos os que vêm conhecer seu país, caso tiverem uma qualidade de espírito particular ou se adquiriram grandes conhecimentos por longas viagens no estrangeiro, o que precisamente fez que nossa visita fosse bem-vinda. Gostam de ser informados sobre o que se passa no mundo. Raros são aqueles, ao contrário, que abordam Utopia para fazer comércio. Que outra coisa trariam, além do ferro? Ouro e prata? Seria melhor que os levassem de volta. Do que os utopianos têm a exportar, eles próprios preferem assumir o transporte, a fim de estarem a par do que se passa no exterior e de não perderem sua experiência das coisas do mar.

Seus escravos não são nem prisioneiros de guerra – com exceção de soldados capturados numa guerra em que Utopia foi atacada – nem filhos de escravos, nenhum daqueles submetidos à servidão nos outros países. São cidadãos a quem um ato vergonhoso custou a liberdade; mais frequentemente ainda, são estrangeiros condenados à morte em seus países em consequência de um crime. Os utopianos os compram em grande número, por pouco dinheiro, muitas vezes por uma ninharia. Esses escravos são forçados ao trabalho para o resto da vida e, além disso, acorrentados, os utopianos mais duramente que os outros. Com efeito, seu caso é considerado mais grave e merecedor de castigos mais exemplares, porque não souberam se abster do mal tendo sido formados para a virtude por uma educação tão excelente.

Uma terceira espécie de escravos é composta de serventes estrangeiros, pobres e corajosos, que escolheram espontaneamente vir trabalhar entre eles. Os utopianos os tratam decentemente, quase tão bem quanto seus próprios cidadãos, impondo-lhes apenas uma tarefa um pouco mais pesada, já que estão acostumados a trabalhar mais. Eles não retêm contra sua vontade os que desejam partir, o que raramente acontece, e não os mandam embora de mãos vazias.

Eles cuidam dos doentes, como eu disse, com a maior solicitude e não negligenciam nada que possa contribuir para sua cura, nem em matéria de remédio nem em matéria de regime. Se alguém é acometido de uma doença incurável, procuram tornar sua vida tolerável assistindo-o, encorajando-o, recorrendo a todos os medicamentos capazes de aliviar seus sofrimentos. Mas, quando a um mal sem esperança se acrescentam torturas perpétuas, os sacerdotes e os magistrados vêm ver o paciente e lhe expõem que ele não pode mais realizar nenhuma das tarefas da vida, que ele se torna um peso para si mesmo e para os outros, que ele sobrevive à sua própria morte, que não é sensato alimentar por mais tempo o mal que o devora, que ele não deve recuar diante da morte, já que a existência lhe é um suplício, que uma firme esperança o autoriza a evadir-se de uma vida que se tornou um flagelo ou a permitir que os outros o livrem dela; que é agir sabiamente pôr um fim, pela morte, ao que deixou de ser um bem para ser um mal; e que obedecer aos conselhos dos sacerdotes, intérpretes de Deus, é agir da maneira mais santa e piedosa. Aqueles persuadidos por esse discurso deixam-se morrer de fome, ou então são adormecidos e libertados da vida sem sequer perceber que morrem. Nenhum doente é suprimido sem seu consentimento, e não são diminuídos os cuidados em relação a quem o recusa. Morrer assim, por conselho dos sacerdotes, é para eles um ato glorioso. Em contrapartida, quem se mata por alguma razão que não foi aprovada pelos sacerdotes e o senado não é julgado digno nem de uma sepultura nem de uma fogueira; seu corpo é lançado vergonhosamente num pântano qualquer.

Uma moça não se casa antes dos vinte e dois anos, um rapaz, antes dos vinte e seis. Uma moça ou um rapaz reconhecidos culpados de amores clandestinos são severamente punidos e o casamento lhes é doravante interdito, a menos que o príncipe os perdoe. O pai e a mãe em cuja família ocorreu o escândalo caem em grande descrédito, por terem negligenciado seus deveres. Se a sanção é tão severa, é que os utopianos julgam que o pacto do amor conjugal, que exige passar a vida toda com um único cônjuge e suportar todos os penosos deveres disso resultantes, dificilmente ligará dois seres que não tiverem sido atentamente desviados de toda união inconstante.

A escolha de um cônjuge comporta entre eles um costume absurdo a nossos olhos e dos mais risíveis, mas que eles observam com a maior seriedade. A mulher, seja virgem ou viúva, é mostrada nua ao pretendente por uma mulher honesta; um homem igualmente digno de confiança mostra à jovem o pretendente nu. Rimos disso como de uma extravagância; eles, ao contrário, se espantam com a insigne insensatez dos outros povos que recusam comprar um pangaré sem tomar a precaução de despi-lo retirando-lhe a sela e os arreios, por receio de um defeito oculto por baixo, mas que, quando se trata de tomar uma esposa, fonte de delícias ou de desgosto para uma vida inteira, demonstram tamanha incúria que julgam toda a pessoa a partir de uma superfície não maior que a palma da mão, apenas o rosto sendo visível, o resto do corpo desaparecendo sob as roupas; após o que se comprometem, com o risco de um mau casamento se um defeito for descoberto tarde demais. Pois nem todos os homens são tão racionais que, em seu cônjuge, considerem unicamente o caráter. De resto, mesmo entre homens racionais, as vantagens físicas, no casamento, acrescentam às qualidades da alma um condimento não desprezível. Sob as belas aparências pode se ocultar um defeito tão penoso de suportar que um marido se sinta, em seu íntimo, totalmente desligado de sua mulher, quando seus corpos estão ligados para o resto da vida. Se um acidente vier a desfigurar alguém depois do casamento, certamente será preciso suportar a desgraça. A tarefa das leis é prevenir a tempo toda surpresa desagradável.

Elas devem zelar tanto mais atentamente por isso na medida em que os utopianos são monógamos, contrariamente a todos os povos que habitam aquela parte do mundo; ali um casamento geralmente não é dissolvido senão pela morte, exceto em caso de adultério ou de conduta intolerável. Um cônjuge gravemente assim ofendido pode obter do senado a autorização de casar de novo. O cônjuge culpado, objeto de infâmia, deve passar o resto da vida sozinho. Mas mandar embora contra sua vontade uma mulher que não cometeu nenhuma falta, apenas porque uma enfermidade atingiu seu corpo, é o que eles absolutamente não admitem, julgando bárbaro abandonar alguém no momento em que mais teria necessidade de assistência, e privar a velhice, mãe das doenças e doença ela mesma, da sólida fidelidade com que ela contava.

Também acontece às vezes que dois esposos, cujos temperamentos não combinam, encontrem um e outro uma pessoa com a qual esperam poder ter mais felicidade; eles então se separam por consentimento mútuo e tornam a casar cada um por seu lado. Mas é preciso a autorização dos senadores, que só pronunciam a separação após terem, em companhia de suas esposas, examinado minuciosamente o caso; ela não é facilmente concedida, pois a perspectiva de um novo casamento, eles o sabem, não é um meio de reforçar o amor conjugal.

O adultério é punido com a servidão mais severa. Se os dois culpados forem casados, os cônjuges ofendidos têm direito de repúdio e, se o desejarem, podem se casar entre si ou com quem quiserem. Se um deles permanece firme em seu amor pelo cônjuge que lhe foi indigno, a lei não rompe o casamento, com a condição de que ele acompanhe o outro nos trabalhos forçados. Sucede às vezes que o arrependimento de um ou a devoção do outro suscite a piedade do príncipe e obtenha um retorno à liberdade. Mas a reincidência é punida com a morte.

Nenhuma lei determina de antemão a pena para os outros crimes. O senado a decide para cada caso, regulando-a conforme a gravidade da falta. Os maridos punem suas mulheres; os pais punem seus filhos, a menos que uma falta muito grave exija uma reparação pública. A maioria dos grandes crimes tem a escravidão por sanção, castigo que lhes parece mais temível para os culpados que a morte e o degredo, e muito mais vantajoso para o Estado. Pois os culpados prestarão mais serviços por seu trabalho que por sua morte, e seu exemplo intimidará duradouramente os que forem atraídos por faltas semelhantes. É somente quando condenados se revoltam que eles são mortos, como animais selvagens que o cárcere e o acorrentamento não puderam subjugar. Em troca, os que se submetem conservam uma esperança. Domados por um longo sofrimento, se mostrarem por seu arrependimento que lamentam mais seu crime que seu castigo, o príncipe pode usar de seu direito de indulto, ou o povo decidir pelo voto que a servidão seja atenuada ou suspensa.

A solicitação à libertinagem é passível da mesma pena que a violação. Em todo delito, eles consideram um propósito claro como equivalente ao ato realizado, julgando não haver benefício num impedimento pelo qual não se é responsável.

Os loucos lhes proporcionam muito prazer. Ofendê-los é considerado particularmente vergonhoso, mas consente-se em achar graça do desatino deles, já que os próprios loucos gostam muito disso. Contudo, os utopianos não confiarão um louco a um homem severo e taciturno demais para divertir-se com uma tolice ou uma bufonaria, temendo que este trate mal um ser que não poderia servi-lo nem fazê-lo rir, único prazer que um louco é capaz de proporcionar.

Zombar de um homem disforme ou aleijado é considerado uma vergonha, não para aquele de quem se riu, mas para aquele que riu e tolamente reprovou a alguém uma desgraça da qual é inocente.

Somente os preguiçosos e os desleixados, dizem eles, não cuidam da beleza dada pela natureza; mas recorrer a enfeites é próprio de uma vaidade culpável. A experiência lhes ensinou que nenhum refinamento de beleza recomenda tanto uma mulher a seu marido quanto a probidade dos costumes e a submissão. Pois, se há homens cativados apenas pela beleza, nenhuma outra coisa os retém senão a virtude e a deferência.

Não contentes de tornar o crime temível pelos castigos que lhe infligem, os utopianos incitam às belas ações mediante honrarias e recompensas. Erguem nas praças públicas estátuas para os homens eminentes que foram dignos do Estado, ao mesmo tempo para perpetuar a lembrança de suas obras e para que a glória dos antepassados sirva de estímulo a seus descendentes para fazer o bem.

Quem faz intriga para obter uma função pública perde de vez qualquer esperança de obtê-la. As relações com os magistrados são amistosas. Nenhum é arrogante ou grosseiro. São chamados pais e se comportam como se o fossem. Os sinais de respeito que merecem lhes são dados livremente, e eles não os reclamam dos que se recusam a dá--los. Nenhuma vestimenta especial, nenhum diadema distingue o príncipe; mas todos portam diante dele um feixe de trigo, e um círio diante do grande sacerdote.

Suas leis são pouco numerosas: não são necessárias muitas com tal Constituição. Eles desaprovam vivamente em outros povos a quantidade de volumes de difícil interpretação, pois consideram uma suprema iniquidade submeter os homens a leis numerosas demais para que alguém possa lê--las de uma ponta a outra, e obscuras demais para que um leigo possa compreendê-las.

Eles recusam radicalmente a intervenção dos advogados, que expõem as causas com demasiado refinamento e interpretam as leis com demasiada astúcia. Preferem que cada um defenda sua própria causa diante do juiz em vez de delegá-la a um porta-voz; poupam-se assim desvios e a verdade se deixa resgatar mais facilmente, pois, quando um homem fala sem que um advogado lhe tenha soprado artifícios, a sagacidade do juiz saberá pesar os prós e os contras e proteger os espíritos mais simples contra os sofismas dos espertos, método que dificilmente poderia se aplicar nos países onde as leis se acumulam numa mixórdia inextricável.

Entre os utopianos, todos conhecem as leis, já que elas são, como eu disse, pouco numerosas e, num caso duvidoso, adota-se como mais equitativa a interpretação ditada pelo bom-senso. Tendo a lei por objeto unicamente lembrar a cada um seu dever, dizem eles, uma interpretação demasiado sutil, que poucos são capazes de compreender, só poderá instruir uma minoria, enquanto sua significação, resgatada por um espírito simples, é clara para todos. De que serve para a massa, isto é, para a classe mais numerosa e que tem a maior necessidade de regras, a existência de leis, se as que existem só têm sentido nas intermináveis discussões de personagens engenhosos, leis inacessíveis ao julgamento sumário do povo simples e muito menos a pessoas cuja vida está inteiramente ocupada em ganhar o pão?

Impressionados com as altas qualidades dos utopianos, povos vizinhos, ao menos os que se governam livremente – e vários deles foram libertados da tirania pelos próprios utopianos –, lhes solicitam magistrados por um período de um ano, às vezes de um lustro, após o que os reconduzem com honra e louvor para levarem outros consigo. Eles não poderiam prestar melhor serviço à sua pátria. Já que a prosperidade ou a ruína de um Estado depende da moralidade de seus governantes, onde fariam melhor escolha senão entre aqueles que nenhuma cupidez poderia desviar de seu dever? Ouro de nada lhes serviria, já que em breve retornarão a seu país. E que ideia preconcebida de amor ou de ódio os influenciaria, sendo estrangeiros entre a população? Eles estão excluídos destes dois males, a cupidez e a parcialidade, males que, quando se instalam nos tribunais, arruínam toda a justiça, isto é, o núcleo mesmo do vigor de um Estado. Os utopianos designam como seus aliados os povos que lhes solicitam governantes, como seus amigos aqueles a quem eles próprios prestaram serviços.

Os outros povos assinam tratados, rompem-nos e fazem novos a todo instante. Os utopianos não os fazem com ninguém. Para quê?, dizem eles. Não aproxima a natureza suficientemente o homem do homem? Aquele que despreza as leis da natureza dará mais importância a fórmulas escritas? Eles passaram a pensar assim ao observarem o quanto os pactos e acordos feitos entre os príncipes são pouco respeitados naquela parte do mundo.

Na Europa, ao contrário, e sobretudo nos países que professam a doutrina e a religião do Cristo, a majestade dos tratados é em toda parte sagrada e inviolável, graças à justiça e à retidão dos príncipes e ao respeito que lhes inspiram os soberanos pontífices. Pois os papas não se comprometem a nada que não cumpram religiosamente. Assim eles obrigam todos os outros príncipes a respeitar escrupulosamente seus compromissos, empregando sua censura e seus rigores pastorais para coagir os que se furtam. Eles julgam, com razão, profundamente vergonhoso que a boa-fé esteja ausente dos tratados daqueles que designamos muito particularmente como os crentes da verdadeira fé.

Mas nesse novo mundo que está separado do nosso pelo Equador e, muito mais ainda, pela diferença dos hábitos e dos costumes, ninguém pode confiar num tratado. Quanto mais religiosamente tiverem envolvido um texto em cerimônias, tanto mais depressa o violam. As escapatórias estão todas previstas numa redação que foi astuciosamente disposta para que nenhuma obrigação seja inelutável, mas que sempre se possa furtar-se a ela, eludindo ao mesmo tempo o tratado e a promessa. Essas artimanhas, esses embustes, essa perfídia, se as descobrissem nos contratos entre pessoas privadas, os mesmos homens que se orgulham de tê-las aconselhado a seus soberanos as declarariam, com bela indignação, sacrílegas e merecedoras do pelourinho. Por isso a justiça é tida como virtude humilde e popular, sentada muito abaixo do trono do rei. Ou, ainda, há duas justiças: uma, boa para o povo simples, anda a pé, se arrasta pelo chão, dificultada por mil correntes em todos os seus movimentos; a outra é para uso dos reis e, por ser mais augusta que sua plebeia irmã, é também mais livre, dispensada de tudo que lhe desagrade.

É a deslealdade desses príncipes, suponho, que leva os utopianos a não concluir tratados. Talvez mudassem de opinião se vivessem entre nós. Contudo, eles acham que, mesmo respeitados os acordos, seria lamentável servir-se deles habitualmente. Não estabeleceu a natureza uma sociedade entre dois povos separados apenas por uma pequena colina, por um pequeno riacho? É o costume dos tratados que os leva a se considerar como inimigos natos, feitos para se destruírem legitimamente um ao outro, a menos que textos se oponham a isso. Estes, uma vez assinados, não fundam uma amizade, mas deixam a porta aberta à pilhagem quando, por uma inadvertência na redação do acordo, nenhuma cláusula prudente a proíbe formalmente. Os utopianos pensam, em sentido completamente oposto, que não há por que considerar como inimiga uma pessoa de quem não se recebeu nenhuma injúria; que a comunidade estabelecida pela natureza torna as convenções inúteis; que os homens, enfim, se aproximam mais fortemente, mais eficazmente, pela caridade do que por textos, pelo espírito do que por fórmulas.

Eles detestam a guerra em grau supremo, como uma coisa absolutamente bestial – ainda que nenhum animal feroz se entregue a isso de maneira tão permanente quanto o homem –, e, contrariamente à opinião de quase todos os povos, consideram que nada é menos glorioso que a glória dada pela guerra.

Todavia, eles se submetem permanentemente e em dias determinados à disciplina militar, não somente os homens mas também as mulheres, a fim de estarem preparados para a guerra, se for indispensável. Mas não tomarão facilmente essa decisão, a não ser para defender suas fronteiras, ou para rechaçar inimigos que tiverem invadido um país aliado, ou, enfim, por piedade para com um povo tiranizado – e é por amor à humanidade que agem assim –, libertando-o, pela força, do jugo do tirano e do estado de servidão. Eles intervêm ainda em benefício de seus amigos, não apenas para defendê-los, mas para vingar injúrias cometidas. A bem dizer, só o fazem se forem consultados antes da declaração de guerra. Então examinam a justiça da causa e reclamam reparação do prejuízo; depois, em caso de recusa, se os agressores devem ser punidos por uma invasão. Eles a decidem toda vez que uma pilhagem foi cometida por uma incursão inimiga; mas sua violência atinge o auge quando comerciantes de uma nação amiga foram vítimas da injustiça sob a máscara da justiça, seja por culpa de leis injustas, seja por uma interpretação pérfida de boas leis.

Tal foi a origem da guerra que fizeram, pouco antes de nosso tempo, com os nefelogetas contra os alaopolitas. Os primeiros se queixavam de que, sob um pretexto jurídico, os segundos teriam prejudicado seus comerciantes. Tivesse a queixa fundamento ou não, a ofensa foi vingada por uma guerra impiedosa. Pois, às forças próprias e aos ódios dos dois partidos em confronto, juntaram-se as paixões e os recursos dos povos vizinhos. Nações muito florescentes foram ou destruídas ou cruelmente atingidas, até que finalmente a capitulação e a subjugação dos alaopolitas pusessem fim a calamidades que nasciam umas das outras. Eles caíram em poder dos nefelogetas – pois os utopianos não combatiam por sua própria conta –, um povo que não teria podido se comparar a eles no tempo de seu esplendor.

Os utopianos punem com rigor as injúrias feitas a seus amigos mesmo quando se trata apenas de dinheiro. Não costumam fazer o mesmo quando eles próprios estão em causa. Se um dos seus é assaltado e privado de seus bens sem que sua pessoa tenha sido lesada, suas represálias limitam-se a interromper todo comércio com o povo desse país até que a reparação seja obtida. Não que tenham menos zelo pelos nacionais do que por seus aliados; é que suportam melhor ser despojados de seu dinheiro do que ver os outros despojados. E os comerciantes de seus amigos sentem-se gravemente lesados por uma perda que concerne a seus haveres pessoais, ao passo que os utopianos não perderam senão bens do Estado, dos quais há reservas abundantes; de resto, se estes foram enviados para além das fronteiras, é que havia excedentes. Portanto não houve o menor prejuízo, e eles consideram bárbaro sacrificar vidas para vingar uma injúria que não atinge nem o corpo nem o bem-estar de nenhum dos seus. Mas, se um de seus cidadãos for morto ou maltratado sem razão, seja por uma ação pública, seja por uma ação privada, eles mandam seus delegados investigar o fato, e somente a entrega dos culpados, que são condenados à morte ou à servidão, pode impedi-los de declarar guerra na mesma hora.

Uma vitória sangrenta lhes causa tristeza e mesmo vergonha, pois acham que é loucura pagar caro demais uma mercadoria, por mais preciosa que seja. Mas, se é por astúcia e artifício que a obtiveram, dominando seus inimigos pela ação do dinheiro, eles se glorificam, decretam um triunfo oficial e erigem um troféu como por um feito notável. Somente quando venceram desse modo é que consideram ter-se conduzido como homens, servindo-se do meio que o homem é o único a dispor entre os seres vivos, a força da inteligência. As do corpo, dizem eles, são as armas que os ursos, os leões, os javalis, os lobos, os cães e as outras feras utilizam no combate. Quase todos nos superam em vigor e ferocidade, mas nós ultrapassamos a todos pela inteligência e a razão.

Sua única intenção ao fazer a guerra é estabelecer a situação de fato que, se lhes tivesse sido concedida de início, lhes teria poupado pegar em armas; ou, se isso é impossível, aplicar aos autores da injúria uma vingança tão severa que o terror doravante os afastará dos abusos de poder. Eles concebem seus planos nesse espírito e os executam sem demora, sempre com a preocupação maior de evitar o perigo, não de engrandecer seu renome e sua glória. Por isso, assim que declaram guerra, mandam afixar por agentes secretos, no mesmo dia, nos lugares mais frequentados do país inimigo, anúncios revestidos da autoridade de seu selo oficial, que prometem enormes recompensas a quem matar o príncipe inimigo; outras, menos elevadas mas consideráveis, por cada uma das cabeças cujo nome figura na lista: a dos homens considerados como responsáveis depois do príncipe. Prometem o dobro de uma recompensa de assassino a quem lhes entregar vivo um daqueles que proscrevem e outro tanto aos próprios proscritos, sem contar a impunidade, se traírem seus cúmplices.

Não é preciso muito tempo para que os chefes inimigos passem a suspeitar de todos e reciprocamente, vivendo no maior terror e nos maiores perigos. Pôde-se ver vários deles, a começar pelo rei, traídos por aqueles em quem mais confiavam, tal o poder do ouro para incitar ao crime. Os utopianos servem-se disso largamente; sabendo o quanto é perigosa a ação a que se lançam, procuram compensar a grandeza do perigo pela enormidade da vantagem. Por isso não prometem apenas uma grande quantidade de ouro, mas também, como propriedade perpétua, terras muito rentáveis em locais bem protegidos entre os povos amigos, e cumprem fielmente sua palavra.

Essa maneira de comprar o inimigo por dinheiro e de fazer dele o objeto de um negócio, reprovada nos outros povos como uma vilania própria de uma alma inferior, eles se glorificam dela, ao contrário, como de uma prova de sabedoria, graças à qual terminam as maiores guerras sem precisar travar um único combate, como prova também de humanidade e misericórdia, já que a vida de um pequeno número de culpados resgata a de milhares de inocentes que teriam tombado sob seus golpes ou os de seus inimigos. Pois eles se apiedam do povo simples de seus adversários tanto quanto do seu, sabendo muito bem que ele não escolheu a guerra por vontade própria, mas que foi levado a ela pela demência dos príncipes.

Se as promessas não tiverem resultado, eles semeiam e alimentam fermentos de discórdia, fazendo um irmão do rei ou algum outro poderoso esperar conquistar a coroa. Se os partidos no interior recusam a se agitar, eles instigam os povos limítrofes e os põem em movimento, exumando alguma remota pretensão à coroa, o que nunca falta aos reis.

Quando, numa guerra, prometem sua ajuda, eles enviam ouro em abundância, mas muito poucos homens. Estes lhes são tão preciosos, e é tão forte o sentimento que os une, que não trocariam de bom grado um dos seus pela pessoa do rei inimigo. Mas não se importam de dissipar seu ouro e sua prata, já que afinal é para essa finalidade que os acumulam, e não viverão menos bem se gastarem até o último vintém. Pois, além das reservas que têm consigo, eles dispõem de enormes riquezas no estrangeiro, onde vários países, como eu disse, são seus devedores. Por isso enviam à guerra mercenários contratados um pouco em toda parte, mas sobretudo entre os zapoletas*.

Esse povo habita a quinhentas milhas a leste de Utopia. É um povo rude, selvagem, intrépido, orgulhoso das florestas e das montanhas onde vive; raça de ferro capaz de suportar o frio, os calores, as fadigas, alheia a todo bem-estar, ignorante da agricultura, indiferente ao conforto das casas e do vestuário, ocupada unicamente com a criação de animais, mas vivendo sobretudo de caça e de pilhagem. Nascidos apenas para a guerra, buscam qualquer ocasião de fazê-la, lançando-se com ímpeto, emigrando em grandes massas para se oferecer a preço vil a quem precisar de soldados. Conhecem uma única arte de ganhar a vida, a que produz a morte. Combatem asperamente e com incorruptível fidelidade por aqueles que os contrataram, mas não estabelecem termo de compromisso e entram no jogo com a condição de que, se amanhã o inimigo lhes pagar um soldo superior, mudarão de lado, para retornar depois de amanhã em troca de um pequeno sobrelanço. Raramente há uma guerra em que não participem de ambos os lados. Por isso acontece frequentemente que homens do mesmo sangue, criados na mesma região, aproximados por uma velha camaradagem, mas inscritos em exércitos opostos, se enfrentem como inimigos e se combatam asperamente, esquecendo sua origem comum e sua amizade, para se massacrar mutuamente sem

---

* Zapoletas – Morus refere-se, sob esse nome, aos mercenários suíços, muito requisitados nas guerras da época. (N.T.)

outra razão que a de terem sido contratados por uma pequena quantia em dinheiro por príncipes diferentes. Essa pequena quantia conta tanto para eles que basta acrescentar um vintém a seu soldo cotidiano para fazê-los mudar de lado, a cupidez nunca demorando a apoderar-se deles e nada lhes acrescentando. Pois o que ganham ao preço de seu sangue é logo esbanjado em prodigalidades lastimáveis.

Esses homens fazem a guerra pelos utopianos contra todo o mundo porque ninguém os paga melhor. Da mesma forma que os utopianos procuram homens de bem para ter como amigos, procuram essa escória para explorá-la. Conquistam-nos por grandes promessas e os expõem, quando necessário, aos maiores perigos, dos quais a maior parte sequer voltará para exigir o pagamento. Os compromissos são escrupulosamente cumpridos em relação aos sobreviventes, a fim de estimulá-los a proezas semelhantes. Os utopianos pouco se preocupam que muitos deles morram, convencidos de que prestariam um grande serviço à humanidade se pudessem limpar a terra da mácula desses terríveis bandidos.

Eles colocam em segunda linha aqueles em benefício de quem pegaram em armas, depois as tropas auxiliares formadas pelos outros aliados, e finalmente seus próprios cidadãos, comandados por um general de coragem experimentada, com dois lugares-tenentes que não têm nenhuma autoridade enquanto ele viver, mas que o substituem se for capturado ou morto, para evitar que, sendo o chefe atingido – vicissitude que faz parte da guerra –, o exército se disperse.

Cada cidade envia seu contingente de voluntários, pois ninguém é mandado à guerra contra sua vontade. Com efeito, eles acham que um homem naturalmente medroso, incapaz de realizar qualquer ato de coragem, não poderá senão transmitir seu medo aos companheiros. Mas, se a pátria for invadida, eles colocam esses inaptos, desde que sejam robustos, em seus navios ou sobre as muralhas, onde não possam desertar. O olhar de seus companheiros, a proximidade do inimigo, a impossibilidade de fugir agem contra o medo e com frequência o excesso de perigo faz nascer o heroísmo.

Se ninguém é arrastado contra sua vontade a uma guerra em território estrangeiro, as mulheres, em troca, são autorizadas a acompanhar seus maridos em armas. Eles inclusive as incitam a isso e as encorajam por elogios. As que partem têm seu lugar nas fileiras ao lado do marido. Cada homem é cercado de seus filhos, de seus parentes e amigos, a fim de que se amparem aqueles que a natureza incita mais fortemente a prestar uma ajuda recíproca. A vergonha suprema, para um cônjuge, é retornar sem o outro; para um filho, retornar sem seu pai; de tal modo que, se um contingente entra em ação e o inimigo não recua, um longo e mortal combate pode levar ao extermínio total. É verdade que eles recorrem a todos os meios para não precisar combater, delegando as ações de guerra aos mercenários. Mas, quando o combate é incontornável, põem nele tanto ardor quanto puseram sabedoria para evitá-lo ao máximo. Não se lançam com todo o ímpeto no primeiro assalto, mas controlam sua força para fazê-la crescer progressivamente, com uma coragem tão obstinada que preferem ser mortos a recuar. Seguros de ter em sua terra o pão cotidiano, dispensados de toda inquietude em relação aos que lá ficaram – preocupação capaz de dobrar em toda parte as mais nobres coragens –, essa liberdade de espírito eleva o homem acima de si mesmo e lhe faz recusar a derrota. Sua confiança é aumentada por sua experiência na arte militar. Enfim, eles devem aos princípios excelentes que aprenderam desde a infância nas escolas e nas instituições de seu Estado a coragem que os impede ao mesmo tempo de dar pouca importância à vida, arriscando-a sem razão, e de atribuir-lhe um valor excessivo, apegando-se a ela com vergonhosa avidez quando a honra exige uma renúncia.

No auge do combate, uma tropa de jovens de elite, unidos por um juramento de vencer ou morrer, persegue o chefe dos inimigos. Eles o atacam abertamente ou de surpresa, de perto ou de longe. A tropa é formada em cunha, sem nenhuma lacuna, os vazios deixados pelos homens abatidos sendo a todo momento preenchidos por novos. É raro que não consigam matar o chefe ou capturá-lo vivo, a menos que este fuja.

Eles não praticam nenhuma carnificina se são vitoriosos, preferindo capturar os fugitivos a massacrá-los. Tampouco jamais os perseguem sem ao mesmo tempo manter um corpo em ordem de batalha, com todas as bandeiras desfraldadas. Caso os inimigos se dispersem durante o combate, eles preferem deixar livre sua retirada ao invés de persegui-los em desordem, lembrando-se de que o inimigo, noutras ocasiões, após ter batido o grosso do exército, saíra a perseguir, na embriaguez da vitória, soldados em debandada. Pequenas unidades postadas em reserva, aproveitando o momento propício, retomaram o ataque contra grupos em desordem que julgavam nada mais terem a temer; com isso a batalha mudara de feição, a vitória sendo arrancada dos que acreditavam tê-la e os vencedores se descobrindo vencidos.

Não se saberia dizer se eles são mais hábeis em inventar estratagemas ou mais prudentes em frustrá-los. Crê-se que preparam a retirada quando nada está mais longe de suas intenções. E quando decidem fazê-la, ao contrário, parecem pensar de maneira inteiramente oposta. Tão logo se veem inferiores em número e prejudicados pelo terreno, levantam acampamento à noite, em silêncio, em boa ordem, ou então descobrem um ardil para evitar a batalha, ou ainda, em pleno dia, retiram-se tão lentamente e em tão belo alinhamento que é tão perigoso atacá-los quando recuam como quando avançam.

Eles têm grande cuidado de fortificar seu acampamento por um fosso largo e profundo, recolhendo os entulhos no interior. O trabalho não é confiado a serventes, mas aos próprios soldados. Todo o exército se ocupa da tarefa, exceto os que montarão guarda à noite diante da trincheira. Com tantos operários, uma vasta obra de defesa é realizada com incrível rapidez.

Suas armas defensivas os protegem dos ataques sem dificultar nenhum movimento, sem os impedir sequer de nadar. Pois sua instrução militar comporta desde o princípio a natação. Suas armas de arremesso são flechas que eles disparam com segurança e presteza, tanto a cavalaria quanto a infantaria. Não utilizam a espada no corpo a corpo, mas alabardas, temíveis ao mesmo tempo por seu gume e por seu peso, brandidas em todas as direções. Põem muito engenho em inventar máquinas de cerco, cuidando em mantê-las secretas, para evitar que, prematuramente reveladas, sejam tratadas como brinquedos antes de terem servido. Ao construí-las, procuram acima de tudo facilitar o transporte e o movimento delas.

Assim que uma trégua é estabelecida, eles a cumprem tão religiosamente que nem mesmo a consideram como rompida num caso de provocação. Não devastam nenhuma terra inimiga, nem ateiam fogo nas plantações; muito pelo contrário, evitam na medida do possível que estas sejam pisadas pelos homens e os cavalos, considerando que o trigo cresce para usufruto deles. Não maltratam nenhum homem desarmado, a menos que se trate de um espião. Poupam as cidades que capitularam, e se abstêm de saquear mesmo aquelas tomadas depois de um cerco; contudo, punem com a morte os que se opuseram à rendição e reduzem os outros defensores à escravidão. Nenhum mal é feito à massa dos não combatentes. Se eles ficam sabendo que alguns cidadãos aconselharam a rendição, dão-lhes uma parte dos bens dos condenados. A venda do resto em leilão permite-lhes dar gratificações a seus auxiliares. Eles próprios não tomam para si nenhuma parte do butim.

Terminada a guerra, imputam suas despesas não aos amigos para quem a fizeram, mas aos vencidos. Exigem deles dinheiro que reservam para a eventualidade de guerras análogas, e domínios que doravante lhes pertencerão e serão lucrativos. Eles têm atualmente em muitos países rendimentos desse gênero que, constituídos aos poucos por contribuições diversas, chegam anualmente a setecentos mil ducados. São administrados por alguns de seus cidadãos que vivem suntuosamente no estrangeiro com o título de questores e um *status* senhorial. Uma grande parte dos rendimentos, porém, vai para o tesouro público ou fica à disposição do povo do país, até o momento em que Utopia o necessitar. Raramente busca-se recuperar a totalidade deles. Quanto às terras, eles as concedem aos que correram um risco respondendo a seu apelo, como eu disse.

Se algum príncipe se levanta em armas contra os utopianos e ameaça invadir um dos países de sua dominação, eles saem prontamente de seu território para ir combatê-lo. Pois evitam acima de tudo guerrear em seu solo, e nenhuma necessidade os faria abrir sua ilha a auxiliares estrangeiros.

Suas religiões variam de uma cidade a outra, e mesmo no interior de uma única cidade. Uns adoram o sol, outros a lua ou algum planeta. Há também os que veneram como deus supremo um homem que se destacou em vida por sua coragem e por sua glória.

A maioria, porém, e sobretudo os mais sábios, rejeitam essas crenças, mas reconhecem um deus único, desconhecido, eterno, incomensurável, impenetrável, inacessível à razão humana, espalhado em nosso universo à maneira, não de um corpo, mas de uma força. Eles o nomeiam Pai e atribuem apenas a ele as origens, o crescimento, os progressos, as vicissitudes, o declínio de todas as coisas. Apenas a ele concedem honras divinas.

De resto, apesar da multiplicidade de suas crenças, os outros utopianos estão pelo menos de acordo quanto à existência de um ser supremo, criador e protetor do mundo. Chamam-no Mitra, na língua do país, sem que esse nome tenha para todos a mesma significação. Mas, seja qual for a concepção que fazem, todos reconhecem nele aquela essência da vontade e da força, à qual todos os povos, por consentimento unânime, atribuem a criação do mundo.

Além disso, eles progressivamente vão deixando essa miscelânea de crenças supersticiosas para aderir a uma religião única que lhes parece mais razoável que todas as outras. Estas certamente já teriam há muito desaparecido se pessoas, a ponto de se desligarem delas, diante de uma infelicidade fortuita, não vissem aí um golpe, não do acaso, mas do céu, e não pensassem com terror que o deus cujo culto era abandonado punia sua impiedade.

Mas eles ficaram sabendo, por nosso intermédio, o nome, o ensinamento, a vida e os milagres do Cristo, bem como a admirável constância de tantos mártires cujo sangue voluntariamente derramado trouxe para sua doutrina muitos povos dispersos no mundo. Vocês não poderiam acreditar com que entusiasmo eles se voltaram imediatamente para ela, seja que Deus lhes falasse em segredo, seja que essa doutrina lhes parecesse a mais próxima da crença que eles próprios julgam superior a todas as demais. O que particularmente os tocou foi saber que o Cristo havia aconselhado a seus seguidores colocar todos os bens em comum, e que esse costume é ainda praticado nas congregações mais verdadeiramente cristãs.

Qualquer que tenha sido a força desse argumento, muitos deles adotaram nossa religião e foram purificados pela água santa. Mas não éramos mais que quatro no meio deles, dois tendo pago seu tributo à morte, e nenhum de nós, infelizmente, era sacerdote. Os que foram batizados e instruídos carecem ainda dos sacramentos que, entre nós, o ministério sacerdotal requer. Contudo, eles compreendem sua significação e nada desejam tanto senão recebê-los. Perguntam-se inclusive com insistência se, mesmo sem uma delegação do pontífice cristão, um homem escolhido por eles não poderia se tornar sacerdote. Estavam a ponto de designar um, mas não o haviam feito ainda até o momento de minha partida.

Os que não aderem à religião cristã não desviam ninguém dela e não perturbam os que a professam. Um de nossos neófitos, porém, foi punido em minha presença. Recentemente batizado, ele pregava o cristianismo em público, apesar de nossos conselhos, com mais zelo que prudência. Inflamou-se não apenas a ponto de dizer que nossa religião é superior às outras, mas de condenar todas sem distinção, de tratá-las com descrédito, chamando seus fiéis de ímpios e sacrílegos prometidos ao fogo eterno. Deixaram-no falar um bocado nesse tom, depois o prenderam e o condenaram, não por ter ultrajado a religião, mas por ter atiçado um tumulto em seu povo. Foi punido com o exílio. Pois uma das leis utopianas, e uma das mais antigas, proíbe falar mal de alguém por causa de sua religião.

Utopus, no início de seu reinado, soube que, antes de sua chegada, os habitantes tinham ásperas discussões acerca de suas crenças. Estavam divididos em seitas que, inimigas entre si, combatiam separadamente por sua pátria. Elas lhe deram assim a ocasião de vencê-las todas ao mesmo tempo. Uma vez vitorioso, ele decidiu que cada um professaria livremente a religião de sua escolha, mas não poderia praticar o proselitismo senão expondo, com calma e moderação, as razões de sua crença, sem atacar com acrimônia as dos outros e, se a persuasão fosse impotente, sem recorrer à força e aos insultos. Quem põe um afinco excessivo em querelas desse tipo é punido com o exílio ou a servidão.

Utopus tomou essa decisão porque via a paz destruída por lutas contínuas e ódios irreconciliáveis, e também porque julgava a liberdade vantajosa para a própria religião. Ele jamais ousou definir irrefletidamente qualquer coisa em matéria de fé, perguntando-se se o próprio Deus não inspira aos homens crenças diversas, a variedade e a multiplicidade dos cultos sendo conformes a seu desejo. Em todo caso, considerava um abuso e uma loucura querer obrigar os outros homens, por ameaças e violência, a admitirem o mesmo que nós. Se, de fato, uma religião for verdadeira e as outras falsas, a força da verdade, pensava ele, agindo com razão e moderação, acabará um dia por prevalecer naturalmente. Quando, ao contrário, a controvérsia se torna violenta e agressiva, e como os menos bons são também os mais obstinados, a religião melhor e mais santa pode acabar sufocada por superstições que rivalizam em absurdidades: como boa semente entre espinheiros e matagais. Assim ele deixou a questão livre e permitiu a cada um acreditar no que quisesse.

Ele proibiu, todavia, com piedosa severidade, que alguém degradasse a dignidade humana admitindo que a alma desaparece com o corpo ou que o mundo marcha ao acaso sem uma providência. Os utopianos creem portanto que, depois desta vida, há castigos para os vícios e recompensas para as virtudes. Quem pensa de outro modo, eles não o consideram sequer como um homem, posto que rebaixa a dignidade de sua alma à materialidade animal. Recusam até incluí-lo entre os cidadãos, pois, sem o temor que o retém, não daria importância às leis e aos costumes do Estado. Com efeito, hesitará um homem infringir sub-repticiamente as leis ou destruí-las pela violência, se não teme nada que as ultrapasse, se não tem nenhuma esperança que vá além de seu próprio corpo? Quem pensa assim não deve portanto esperar nenhuma honra, nenhuma magistratura, nenhum cargo público. Eles o desprezam, onde quer que esteja, como um ser de natureza baixa e sem recursos, mas sem infligir-lhe nenhum castigo corporal, convencidos de que é dado ao homem crer no que quiser. Eles se abstêm igualmente de ameaças que fariam o descrente ocultar seu sentimento, não admitindo os fingimentos e as dissimulações pelos quais têm uma aversão incrível, por considerá-los gêmeos da impostura. Mas proíbem que ele defenda sua opinião, ao menos em público. Em presença dos sacerdotes e das pessoas sérias, não apenas é autorizado mas incitado a fazê-lo, pois eles têm certeza de que essa aberração acabará por se curvar diante da sabedoria.

Outros utopianos, bastante numerosos, cujas convicções não são contrariadas por serem pessoas de bons sentimentos e de boa conduta, acham, por um erro inteiramente oposto, que os animais também têm almas eternas, inferiores porém às nossas pela dignidade e pela felicidade à qual estão prometidas. De fato, quase todos creem numa beatitude sem limites seguramente destinada ao homem, tanto que lamentam os que adoecem, mas não os que morrem. A menos que os vejam sair da vida na angústia e na recusa, o que é considerado um mau presságio, como se uma alma sem esperança e consciente de suas faltas temesse a viagem na presciência de um castigo iminente. Deus, pensam eles também, não acolherá de bom grado um homem que, chamado para junto dele, não vai de bom grado, mas resiste e se faz arrastar. Uma morte assim enche os assistentes de terror; triste e silenciosamente, eles carregam o corpo e, implorando aos deuses propícios aos manes do defunto a perdoar suas fraquezas, cobrem-no de terra.

Ao contrário, os que morreram na alegria e na esperança, ninguém os lamenta, mas acompanham seu cortejo fúnebre cantando, recomendando de todo o coração sua alma a Deus. Queimam a seguir seu corpo com respeito, mas sem lamentações, e elevam no local uma estela onde são gravados os títulos do defunto. De volta à casa, recordam suas ações e os traços de seu caráter, insistindo, entre os episódios de sua vida, sobre a serenidade de sua morte. Essa comemoração de uma conduta virtuosa é para os vivos, pensam eles, a mais eficaz das exortações ao bem e a homenagem mais agradável aos mortos. Estes estão presentes quando falamos deles, invisíveis apenas ao olhar muito pouco penetrante dos mortais. Os bem-aventurados não poderiam ser privados do poder de se transportar para onde quiserem, e faltariam à gratidão se não desejassem rever aqueles a quem estiveram ligados na terra por uma ternura e um amor mútuos, sentimentos que, segundo eles, devem subsistir após a morte, entre os homens de bem, num grau ainda maior, não menor. Assim eles veem os mortos circulando entre os vivos, testemunhas de seus atos e de suas palavras. Essa fé na presença tutelar dos mortos lhes inspira mais confiança em seus empreendimentos e não os deixa praticar nenhum mal em segredo.

Os augúrios e outros meios supersticiosos de adivinhação, que gozam de tanto crédito entre outros povos, são por eles desprezados e ridicularizados. Mas os milagres que se produzem sem a intervenção de causas naturais lhes inspiram respeito, como sendo obras de um deus e provas de sua presença. Esses milagres, dizem, acontecem com frequência. Em circunstâncias importantes nas quais não sabem que partido tomar, eles os pedem com muita fé, por uma prece pública, e os obtêm.

Observar a natureza, para eles, é uma forma de honrar a Deus, transportando a ele, para sua satisfação, a admiração que ela merece. Existem homens, porém, e em grande número, que, por escrúpulo religioso, negligenciam os estudos, não buscam investigar as coisas e não se concedem nenhum lazer, crendo que somente trabalhos e serviços prestados a outrem podem merecer a felicidade depois da morte. Há assim os que cuidam dos doentes, que reparam as estradas e as pontes, que limpam os canais, que arrancam ervas daninhas, que transportam a areia e as pedras, que derrubam árvores e serram tábuas, que levam para as cidades, em suas carroças, a madeira, os cereais e o resto, comportando-se em relação à comunidade menos como servidores que como escravos. Não há trabalho rude, penoso, do qual todos se afastam por ser malcheiroso, fatigante, repulsivo, desencorajador, que eles não o reservem totalmente para si, com a maior boa vontade e bom humor. Graças a eles, que passam sua vida num labor ininterrupto, os outros têm descanso. Eles não se enaltecem por isso e tampouco criticam a vida dos outros. Quanto mais se comportam como escravos, tanto mais são honrados por todos.

Eles estão distribuídos em duas seitas.

Uma é dos celibatários, que renunciam totalmente tanto aos prazeres do amor quanto ao próprio consumo de carne, às vezes até de tudo o que vem dos seres vivos, repudiando como prejudiciais todos os prazeres da vida presente, aspirando apenas, através de vigílias e fadigas, a vida futura, e permanecendo alegres e dispostos em sua esperança de obtê-la.

Os outros, não menos dedicados ao trabalho, preferem o estado de casamento. Eles apreciam sua doçura; acham também que devem um tributo à natureza e filhos à pátria. Não recusam nenhum prazer, a menos que seja um obstáculo a seu trabalho. Apreciam a carne dos quadrúpedes, considerando que lhes dará mais força para suas tarefas.

Os utopianos julgam estes mais sensatos, mas os primeiros mais santos. Por preferirem o celibato ao casamento, uma vida rude a uma agradável, eles seriam objeto de zombaria se invocassem o testemunho da razão. Mas, como se declaram movidos pela religião, são respeitados e honrados. Pois lá se evita cuidadosamente pronunciar-se com indiscrição sobre as coisas religiosas. Na língua dos utopianos, esses homens são chamados butrescos, o que traduzimos na nossa por "religiosos".

Seus sacerdotes são de uma santidade eminente e, portanto, muito pouco numerosos. Não há mais de treze em cada cidade, número igual ao dos templos. Em caso de guerra, sete sacerdotes acompanham o exército e deixam substitutos que lhes cedem o lugar na volta. Suplentes sucedem aos titulares à medida que estes morrem, e, até que isso ocorra, assistem o pontífice que em cada cidade comanda os outros sacerdotes.

Eles são eleitos pelo povo e, como todos os magistrados, por sufrágio secreto, a fim de evitar toda intriga. Uma vez eleitos, são consagrados por seu próprio colégio. Os sacerdotes controlam a vida religiosa, ocupam-se das cerimônias e exercem uma vigilância sobre os costumes. Considera-se como muito infamante ser chamado à presença deles e receber suas repreensões por levar uma vida pouco conveniente.

Sua tarefa é exortar e advertir; mas compete apenas ao príncipe e aos magistrados tomar medidas para punir os culpados. Contudo, os sacerdotes excluem das cerimônias religiosas os que se acham endurecidos no mal. Nenhum outro castigo inspira tão grande terror: ele marca de infâmia e tortura a consciência com uma angústia sagrada. O próprio corpo, em breve, estará ameaçado: se o condenado não se arrepender prontamente em presença dos sacerdotes, o senado manda prendê-lo e lhe inflige um castigo por sua impiedade.

As crianças e os adolescentes recebem deles sua primeira instrução, que se ocupa tanto do caráter e da moral quanto das letras. Eles zelam por instilar nas almas ainda tenras e dóceis das crianças as doutrinas sadias que são a salvaguarda do Estado. Se elas as penetrarem profundamente, irão acompanhar o homem a vida inteira e contribuir enormemente para a salvação pública, a qual é ameaçada apenas pelos vícios oriundos de princípios errôneos.

Os sacerdotes – os do sexo masculino, pois as mulheres, mesmo não sendo excluídas do sacerdócio, raramente são eleitas e, nesse caso, trata-se de uma viúva de mais idade – tomam suas esposas nas famílias mais consideradas. Nenhuma outra função tem mais prestígio, a tal ponto que, se um deles cometer uma infâmia, não será levado a nenhum tribunal de Estado: terá apenas a Deus e a si mesmo como juiz. Pois eles consideram não permitido punir com mão mortal o homem, por mais culpado que seja, que foi excepcionalmente votado a Deus como uma oferenda consagrada. Essa imunidade não apresenta inconveniente entre eles porque os sacerdotes são pouco numerosos e escolhidos com o maior cuidado. Um homem excelente, elevado por homens de bem a uma alta dignidade em consideração apenas de sua virtude, se deixará facilmente seduzir pelo vício? Mesmo que isso aconteça, pois a natureza humana é instável, o fato de seu número ser insignificante e de seu prestígio não se acompanhar de nenhum poder não colocará o Estado em perigo.

Se eles limitam estritamente o número dos sacerdotes é a fim de evitar que a dignidade de uma ordem hoje cercada de tamanho respeito não decline ao ser atribuída a demasiadas pessoas, sem contar que não se encontram facilmente homens à altura dessa função. Pois virtudes médias não são suficientes para o exercício desta.

Seus sacerdotes são estimados tanto nos países estrangeiros quanto na própria Utopia. Prova-o um costume que, de resto, me parece estar na origem dessa consideração. No momento de um combate decisivo, os sacerdotes se ajoelham a uma certa distância, cobertos de seus ornamentos sagrados. Com as mãos erguidas ao céu, pedem primeiro a paz para todos, depois a vitória para seu povo, e enfim que ela não seja sangrenta para nenhum dos lados. Quando seus soldados vencem, eles vão até os combatentes e os impedem de se lançar sobre os vencidos caídos. Estes só precisam vê-los e chamá-los para terem a vida salva; os que podem tocar suas vestes flutuantes salvam desse modo seus bens e sua vida de todas as injúrias da guerra. Eis por que eles são vistos com tanta veneração, com tanta majestade por todos os povos. E o mesmo amparo que levam aos inimigos eles prestam a seus concidadãos. Numa circunstância conhecida, com efeito, as defesas destes últimos cederam e os soldados se puseram em fuga; a situação parecia desesperada; os inimigos lançavam-se ao massacre e à pilhagem quando a intervenção dos sacerdotes os deteve, suspendeu o desastre, separou os combatentes e permitiu a conclusão de uma paz em condições justas. Não há em parte alguma povo tão selvagem, tão bárbaro e feroz que tenha recusado ver neles um corpo sacrossanto e inviolável.

Eles celebram uma festa no primeiro e no último dia de cada mês e de cada ano. O curso da lua define o mês, o do sol, o ano. O primeiro e o último dia se chamam, na língua deles, Cynemernus e Trapemernus, o que significa mais ou menos festa de abertura e festa de encerramento.

Seus santuários são admiráveis, de uma construção magnífica e capazes de abrigar um povo imenso, o que é necessário, sendo eles tão pouco numerosos. Todos são bastante escuros, o que não se deve imputar a um erro do arquiteto mas a uma intenção dos sacerdotes, para quem uma luz demasiado intensa perturba a meditação, ao passo que ela ajuda os pensamentos a se concentrarem e a se dirigirem às coisas do céu quando é escassa e como que duvidosa. Os utopianos têm religiões diferentes, mas, assim como várias estradas conduzem a um mesmo lugar, todos os aspectos dessas religiões, apesar de sua multiplicidade e variedade, convergem para o culto da essência divina. Por isso, em seus templos, nada se vê, nada se ouve que não se harmonize com todas as crenças. Os ritos particulares de cada seita se realizam na sede de cada uma; as cerimônias públicas se realizam de uma forma que não os contradiz em nada.

Também por isso os templos não contêm imagens de deuses: cada um é livre para imaginar a divindade de acordo com seu sentimento mais elevado. Para invocá-la, não pronunciam nenhum nome, exceto o de Mitra, que para todos designa a essência única da majestade divina, seja qual for. As preces são formuladas de modo que cada um possa repeti-las sem ofender sua crença particular.

Eles se reúnem no templo nas festas de encerramento, à noite, em jejum, a fim de dar graças a Deus que lhes permitiu terminar bem o ano ou o mês. No dia seguinte, que é festa de abertura, retornam em massa, a fim de implorar felicidade e prosperidade durante o ano ou o mês que se inicia por essa cerimônia. Nas festas de encerramento, antes de se dirigirem ao templo, as esposas se ajoelham, em casa, aos pés de seus maridos, os filhos aos pés de seus pais, confessam as incorreções que cometeram, os deveres que negligenciaram e pedem o perdão por seus erros. Desse modo, se uma pequena nuvem tivesse ameaçado o entendimento familiar, ela seria dissipada por tal reparação e todos assistiriam às cerimônias com um coração puro e apaziguado. Pois não é permitido comparecer a elas com uma alma inquieta e perturbada. Os que se sentem possuídos pelo ódio ou pela cólera só assistem aos sacrifícios depois de terem se reconciliado com seus inimigos, depois de terem abandonado seu ressentimento.

Ao entrarem no templo, os homens se dirigem para a direita, as mulheres para a esquerda, de modo que os membros masculinos da família estejam sentados diante do pai e que a mãe esteja atrás do grupo das mulheres. Com isso quer-se que os chefes de família possam vigiar em público a conduta dos que eles governam e instruem em suas casas. Tem-se o cuidado de espalhar os mais jovens entre os mais velhos, para evitar que as crianças, umas com as outras, se entreguem a brincadeiras pueris no momento em que devem se compenetrar no mais religioso temor dos deuses, sentimento mais eminentemente capaz de encorajá-las à prática das virtudes.

Nenhum ser vivo é imolado em seus sacrifícios. Eles se recusam a admitir que um deus de bondade sinta prazer com o sangue e a morte, quando deu de presente a vida a suas criaturas para que a desfrutem. Queimam incenso e outros perfumes e oferecem numerosas velas; não que pensem que o presente acrescente algo à grandeza divina, como, de resto, esta não tem necessidade das preces dos homens, mas porque apreciam um culto sem vítima, no qual os perfumes, as velas e as cerimônias dão aos homens o sentimento de se elevarem, movidos por um impulso mais vivo a adorar a Deus.

No santuário o povo se veste de branco. O sacerdote usa uma vestimenta colorida, de uma confecção e de uma forma surpreendentes, sem que o tecido seja em absoluto precioso. Não é bordada de ouro nem coberta de pedrarias, mas composta de diversas cores, com tanta habilidade e refinamento que nenhuma substância poderia igualar-se à riqueza de tal trabalho. Além disso, asas e plumagens, dispostas sobre a vestimenta do sacerdote, constituem os símbolos de mistérios ocultos. Sua significação é conhecida, pois os sacerdotes a explicam minuciosamente. Ela lembra a todos os benefícios recebidos dos deuses, o reconhecimento devido a eles e os deveres para com o próximo.

Assim que o sacerdote, saindo do recinto sagrado, aparece em seus ornamentos, todos se prosternam respeitosamente, num silêncio tão profundo que o espetáculo enche de terror, como se um deus estivesse presente. Após alguns instantes, um sinal do sacerdote faz que todos se levantem. Eles cantam então, em louvor a Deus, hinos acompanhados por instrumentos de música em geral muito diferentes dos que se veem em nossa parte do mundo. Alguns superam em encanto os nossos; outros não lhes podem ser comparados. Mas num ponto eles nos ultrapassam incontestavelmente: sua música, instrumental ou vocal, esposa tão fielmente o sentimento, traduz tão bem as coisas pelo som – a prece, a súplica, a alegria, a paz, a aflição, o luto, a cólera –, o movimento da melodia corresponde tão bem aos pensamentos, que ela arrebata as almas dos ouvintes, os penetra e os exalta com uma força incomparável.

O sacerdote, enfim, recita com o povo preces compostas de tal maneira que cada um refere mentalmente a si mesmo o que todos pronunciam em uníssono. Nelas ele proclama um deus criador, governador, autor de todos os bens; agradece-lhe os benefícios que dele recebeu e particularmente a bondade de tê-lo feito nascer no mais feliz de todos os Estados e na religião que confia ser a mais verdadeira. Se ele se engana sobre esse ponto, se existe algo melhor e que agrade ainda mais a Deus, que este, em sua bondade, lhe conceda o conhecimento disso, pois ele está pronto a ir aonde quer que Deus o conduza. Mas, se a Constituição de sua pátria é a melhor e sua religião a mais correta, que Deus lhe conceda ser fiel a elas, conduzir outros homens a viver sob as mesmas leis, a conceber o divino do mesmo modo, a menos que a diversidade das crenças seja agradável à sua impenetrável vontade. Que, após uma morte sem luta, Deus consinta recebê-lo: se mais cedo ou mais tarde, ele não ousaria decidir. Mas, se isso pode ser dito sem ofender a majestade divina, ele preferiria chegar a ela passando pela morte mais dolorosa a ser retido muito tempo longe dela, mesmo tendo a vida mais próspera.

Pronunciada essa prece, eles se levantam e vão fazer o desjejum. O resto da jornada se passa entre jogos e exercícios militares.

Descrevi a vocês o mais exatamente possível a estrutura dessa república que considero não somente a melhor, mas a única que merece esse nome. Todas as outras falam do interesse público e cuidam apenas dos interesses privados. Aqui nada é privado, e o que conta é o bem público. Não poderia ser de outro modo. Em outros lugares, cada um sabe que, se não cuida de sua própria pessoa, e por mais florescente que seja o Estado, morrerá de fome; portanto é forçado a pensar em seus interesses em vez dos do povo, isto é, de outrem. Entre os utopianos, ao contrário, onde tudo é de todos, um homem está seguro de ter o necessário contanto que os celeiros públicos estejam repletos.

Pois a distribuição de alimentos se faz largamente; não há indigentes, não há mendigos, e, embora ninguém possua nada, todos são ricos. Há riqueza maior do que viver sem nenhuma preocupação, com o espírito livre e feliz, sem inquietar-se com o pão, sem ser importunado pelas queixas de uma esposa, sem temer a pobreza para um filho, sem se atormentar com o dote de uma filha? Poder contar com os recursos e a felicidade dos familiares, mulher, filhos e netos, e até a mais longa posteridade que um nobre pudesse desejar? Pois tudo foi calculado para os que trabalharam outrora e são agora incapazes, assim como para os que trabalham atualmente.

Quem ousaria comparar com essa equidade a justiça que reina em outros povos? Consinto ser enforcado se neles descobrir o menor traço de justiça ou de equidade. Há justiça quando um nobre qualquer, um ourives, um usurário, pessoas que não produzem nada ou apenas coisas sem as quais a comunidade passaria facilmente, levam uma vida folgada e feliz na preguiça ou numa ocupação inútil, enquanto o servente, o carroceiro, o artesão, o lavrador, por um trabalho pesado, tão contínuo que um animal de carga dificilmente poderia suportar, tão indispensável que sem ele um Estado não duraria um ano, só conseguem obter um pão mesquinhamente medido e vivem na miséria? A condição dos animais de carga afigura-se bem melhor; estes trabalham por menos tempo, seu alimento não é muito pior, se não lhes for até mais deleitável, e não são obsedados pelo temor do futuro.

Mas os operários! Eles penam dia após dia, sobrecarregados por um trabalho estéril e sem recompensa, e a perspectiva de uma velhice sem pão os mata. O salário cotidiano não basta sequer para suas necessidades; muito menos para reservar alguma coisa para o futuro.

Não é injusto e ingrato o país que concede favores aos chamados nobres, aos ourives e às pessoas dessa espécie, que não fazem senão adular e servir os prazeres mais vãos, enquanto não há nenhuma generosidade para os agricultores, os carvoeiros, os pedreiros, os cocheiros, sem os quais um Estado não poderia subsistir? Ele exige destes, durante seus mais belos anos, fadigas excessivas; depois, quando estão quebrantados pela idade e as doenças e privados de todo recurso, os recompensa indignamente deixando-os morrer de fome, esquecendo tudo o que recebeu deles.

Sem contar que a ração cotidiana dos pobres é a cada dia diminuída pelos ricos, que se servem tanto das leis do Estado quanto de suas trapaças pessoais. Antigamente considerava-se injusto recompensar mal os que haviam sido dignos do Estado: eis que, por uma lei promulgada, essa ingratidão é erigida em lei.

Quando reconsidero ou observo os Estados hoje florescentes, não vejo neles, Deus me perdoe, senão uma espécie de conspiração dos ricos para cuidar de seus interesses pessoais sob pretexto de administrar o Estado. Não há meio nem maquinação que eles não inventem para, primeiramente, conservar e colocar em segurança o que adquiriram por procedimentos vis, e depois para usar e abusar do sofrimento dos pobres pagando o mínimo possível. Assim que os ricos decidem fazer o Estado – que compreende tanto os pobres quanto eles mesmos – adotar essas práticas, elas assumem de imediato força de lei.

Esses homens detestáveis, com sua insaciável avidez, dividiram entre si o que deveria ser de todos; como eles estão longe, porém, da felicidade que gozam os utopianos! Com a utilização que estes fazem do ouro, desapareceu toda avidez de possuí-lo. Quantas preocupações suprimidas! Que semente de crime arrancada pela raiz! Pois – quem não o sabe? – as falcatruas, os roubos, os assaltos, as rixas, os tumultos, as revoltas, os assassinatos, as traições, os envenenamentos, que suplícios cotidianos punem sem poder desencorajá-los, desaparecem juntamente com o uso da moeda. Acrescentemos a isso o medo, a angústia, as preocupações, os esforços e as vigílias que morrerão juntamente com o dinheiro. Mesmo a pobreza, que parece ter o dinheiro por remédio, desaparecerá assim que ele tiver sido abolido.

Para persuadi-los melhor, lembrarei um ano ruim e estéril, em que milhares de homens morreram de fome. Sustento que, no final da escassez, se tivessem vasculhado os celeiros dos ricos, neles teriam encontrado trigo suficiente para distribuí-lo a todos os que sucumbiram às privações; e ninguém teria então sequer percebido a parcimônia do céu e do solo. Como os recursos poderiam ser facilmente obtidos se esse bendito dinheiro – que só inventaram, dizem, para facilitar sua vida – não obstruísse os caminhos!

Estou certo de que os próprios ricos compreendem essas verdades. Eles sabem que é preferível jamais ser privado do necessário a ter em abundância coisas supérfluas, estar livre dos sofrimentos a ser prisioneiro de grandes riquezas.

Estou convencido de que o universo inteiro teria há muito adotado as leis dessa república – ao mesmo tempo pela consideração do interesse de todos e pela autoridade do Cristo nosso Senhor, cuja sabedoria infinita não podia ignorar o que é melhor para nós, cuja bondade infinita não podia deixar de no-lo prescrever – se uma única besta feroz não tivesse oposto sua resistência, a rainha, a mãe de todos os males: a Soberba. Para ela, a prosperidade não se avalia pela felicidade de todos, mas pela infelicidade dos outros. Ela recusaria até tornar-se deus se não pudesse conservar a seu redor miseráveis a insultar, a tratar como escravos, cuja penúria sirva de contraste à sua espalhafatosa felicidade, que ela possa torturar e irritar, em seu despojamento, pela ostentação de suas riquezas. Essa serpente do inferno se enrola em volta do coração dos homens para desviá-los do caminho correto; ela se prende a eles e os puxa para trás como um freio.

Ela está muito profundamente enraizada na natureza humana para que se possa facilmente arrancá-la. Mas fico feliz de ver nos utopianos a forma de Constituição que desejaria para todos os povos. Eles, pelo menos, se deixaram guiar por princípios que deram à sua república a prosperidade e, tanto quanto os cálculos humanos podem prever o futuro, uma garantia de perenidade. Uma vez extirpadas no interior, com todos os outros vícios, as raízes da ambição e das facções, que perigo subsiste para ameaçá-la daquelas discórdias intestinas que puseram a perder tantas cidades fortemente defendidas? Enquanto reinar o bom entendimento interno e as leis forem sadias, a inveja dos reis vizinhos – eles já tentaram mais de um ataque, mas todos foram repelidos – não conseguirá derrubar esse império nem mesmo abalá-lo.

Tal foi o relato de Rafael. Vinham-me ao espírito muitas coisas que, nos costumes e nas leis desse povo, me pareciam das mais absurdas, sua maneira de fazer a guerra, de conceber o culto e a religião, e sobretudo o princípio fundamental de sua Constituição: a comunidade da vida e dos recursos, sem nenhuma circulação de dinheiro, o que equivale à ruína de tudo o que é brilhante, magnífico, grandioso, majestoso, tudo o que, de acordo com a opinião geralmente aceita, constitui o ornamento do Estado.

Como, no entanto, eu o via fatigado por seu longo relato e não sabia se ele admitia a contestação – pois me lembrava que havia reprovado as pessoas que temem parecer pouco inteligentes se não encontram algo a criticar nas ideias de outrem –, limitei-me a louvar as leis dos utopianos e a exposição que ele nos fizera, e, tomando-o pelo braço, o conduzi até a sala de refeições. Disse-lhe porém que nos encontraríamos noutra ocasião para refletir mais ponderadamente e conversar mais longamente sobre esses problemas.

Esperemos que chegue esse momento. Enquanto isso, sem poder dar minha adesão a tudo o que disse esse homem, indiscutivelmente muito sábio e rico de uma particular experiência das coisas humanas, reconheço de bom grado que há na república utopiana muitas coisas que eu desejaria ver em nossas cidades. Que desejo, mais do que espero ver.

Fim do discurso da tarde de Rafael Hitlodeu sobre as leis e as instituições da ilha de Utopia, pouco conhecida até o presente, pelo muito célebre e muito sábio Tomás Morus, cidadão e vice-xerife da cidade de Londres.

Coleção L&PM POCKET (Lançamentos mais recentes)

1043. **As grandes histórias da mitologia greco-romana** – A. S. Franchini
1044. **O corno de si mesmo & outras historietas** – Marquês de Sade
1045. **Da felicidade** *seguido de* **Da vida retirada** – Sêneca
1046. **O horror em Red Hook e outras histórias** – H. P. Lovecraft
1047. **Noite em claro** – Martha Medeiros
1048. **Poemas clássicos chineses** – Li Bai, Du Fu e Wang Wei
1049. **A terceira moça** – Agatha Christie
1050. **Um destino ignorado** – Agatha Christie
1051 (26). **Buda** – Sophie Royer
1052. **Guerra Fria** – Robert J. McMahon
1053. **Simons's Cat: as aventuras de um gato travesso e comilão – vol. 1** – Simon Tofield
1054. **Simons's Cat: as aventuras de um gato travesso e comilão – vol. 2** – Simon Tofield
1055. **Só as mulheres e as baratas sobreviverão** – Claudia Tajes
1057. **Pré-história** – Chris Gosden
1058. **Pintou sujeira!** – Mauricio de Sousa
1059. **Contos de Mamãe Gansa** – Charles Perrault
1060. **A interpretação dos sonhos: vol. 1** – Freud
1061. **A interpretação dos sonhos: vol. 2** – Freud
1062. **Frufru Rataplã Dolores** – Dalton Trevisan
1063. **As melhores histórias da mitologia egípcia** – Carmem Seganfredo e A.S. Franchini
1064. **Infância. Adolescência. Juventude** – Tolstói
1065. **As consolações da filosofia** – Alain de Botton
1066. **Diários de Jack Kerouac – 1947-1954**
1067. **Revolução Francesa – vol. 1** – Max Gallo
1068. **Revolução Francesa – vol. 2** – Max Gallo
1069. **O detetive Parker Pyne** – Agatha Christie
1070. **Memórias do esquecimento** – Flávio Tavares
1071. **Drogas** – Leslie Iversen
1072. **Manual de ecologia (vol.2)** – J. Lutzenberger
1073. **Como andar no labirinto** – Affonso Romano de Sant'Anna
1074. **A orquídea e o serial killer** – Juremir Machado da Silva
1075. **Amor nos tempos da fúria** – Lawrence Ferlinghetti
1076. **A aventura do pudim de Natal** – Agatha Christie
1078. **Amores que matam** – Patricia Faur
1079. **Histórias de pescador** – Mauricio de Sousa
1080. **Pedaços de um caderno manchado de vinho** – Bukowski
1081. **A ferro e fogo: tempo de solidão (vol.1)** – Josué Guimarães
1082. **A ferro e fogo: tempo de guerra (vol.2)** – Josué Guimarães
1084 (17). **Desembarcando o Alzheimer** – Dr. Fernando Lucchese e Dra. Ana Hartmann
1085. **A maldição do espelho** – Agatha Christie
1086. **Uma breve história da filosofia** – Nigel Warburton
1088. **Heróis da História** – Will Durant
1089. **Concerto campestre** – L. A. de Assis Brasil
1090. **Morte nas nuvens** – Agatha Christie
1092. **Aventura em Bagdá** – Agatha Christie
1093. **O cavalo amarelo** – Agatha Christie
1094. **O método de interpretação dos sonhos** – Freud
1095. **Sonetos de amor e desamor** – Vários
1096. **120 tirinhas do Dilbert** – Scott Adams
1097. **200 fábulas de Esopo**
1098. **O curioso caso de Benjamin Button** – F. Scott Fitzgerald
1099. **Piadas para sempre: uma antologia para morrer de rir** – Visconde da Casa Verde
1100. **Hamlet (Mangá)** – Shakespeare
1101. **A arte da guerra (Mangá)** – Sun Tzu
1104. **As melhores histórias da Bíblia (vol.1)** – A. S. Franchini e Carmen Seganfredo
1105. **As melhores histórias da Bíblia (vol.2)** – A. S. Franchini e Carmen Seganfredo
1106. **Psicologia das massas e análise do eu** – Freud
1107. **Guerra Civil Espanhola** – Helen Graham
1108. **A autoestrada do sul e outras histórias** – Julio Cortázar
1109. **O mistério dos sete relógios** – Agatha Christie
1110. **Peanuts: Ninguém gosta de mim... (amor)** – Charles Schulz
1111. **Cadê o bolo?** – Mauricio de Sousa
1112. **O filósofo ignorante** – Voltaire
1113. **Totem e tabu** – Freud
1114. **Filosofia pré-socrática** – Catherine Osborne
1115. **Desejo de status** – Alain de Botton
1118. **Passageiro para Frankfurt** – Agatha Christie
1120. **Kill All Enemies** – Melvin Burgess
1121. **A morte da sra. McGinty** – Agatha Christie
1122. **Revolução Russa** – S. A. Smith
1123. **Até você, Capitu?** – Dalton Trevisan
1124. **O grande Gatsby (Mangá)** – F. S. Fitzgerald
1125. **Assim falou Zaratustra (Mangá)** – Nietzsche
1126. **Peanuts: É para isso que servem os amigos (amizade)** – Charles Schulz
1127 (27). **Nietzsche** – Dorian Astor
1128. **Bidu: Hora do banho** – Mauricio de Sousa
1129. **O melhor do Macanudo Taurino** – Santiago
1130. **Radicci 30 anos** – Iotti
1131. **Show de sabores** – J.A. Pinheiro Machado
1132. **O prazer das palavras – vol. 3** – Cláudio Moreno
1133. **Morte na praia** – Agatha Christie
1134. **O fardo** – Agatha Christie
1135. **Manifesto do Partido Comunista (Mangá)** – Marx & Engels
1136. **A metamorfose (Mangá)** – Franz Kafka
1137. **Por que você não se casou... ainda** – Tracy McMillan
1138. **Textos autobiográficos** – Bukowski

1139. **A importância de ser prudente** – Oscar Wilde
1140. **Sobre a vontade na natureza** – Arthur Schopenhauer
1141. **Dilbert (8)** – Scott Adams
1142. **Entre dois amores** – Agatha Christie
1143. **Cipreste triste** – Agatha Christie
1144. **Alguém viu uma assombração?** – Mauricio de Sousa
1145. **Mandela** – Elleke Boehmer
1146. **Retrato do artista quando jovem** – James Joyce
1147. **Zadig ou o destino** – Voltaire
1148. **O contrato social (Mangá)** – J.-J. Rousseau
1149. **Garfield fenomenal** – Jim Davis
1150. **A queda da América** – Allen Ginsberg
1151. **Música na noite & outros ensaios** – Aldous Huxley
1152. **Poesias inéditas & Poemas dramáticos** – Fernando Pessoa
1153. **Peanuts: Felicidade é...** – Charles M. Schulz
1154. **Mate-me por favor** – Legs McNeil e Gillian McCain
1155. **Assassinato no Expresso Oriente** – Agatha Christie
1156. **Um punhado de centeio** – Agatha Christie
1157. **A interpretação dos sonhos (Mangá)** – Freud
1158. **Peanuts: Você não entende o sentido da vida** – Charles M. Schulz
1159. **A dinastia Rothschild** – Herbert R. Lottman
1160. **A Mansão Hollow** – Agatha Christie
1161. **Nas montanhas da loucura** – H.P. Lovecraft
1162(28). **Napoleão Bonaparte** – Pascale Fautrier
1163. **Um corpo na biblioteca** – Agatha Christie
1164. **Inovação** – Mark Dodgson e David Gann
1165. **O que toda mulher deve saber sobre os homens: a afetividade masculina** – Walter Riso
1166. **O amor está no ar** – Mauricio de Sousa
1167. **Testemunha de acusação & outras histórias** – Agatha Christie
1168. **Etiqueta de bolso** – Celia Ribeiro
1169. **Poesia reunida (volume 3)** – Affonso Romano de Sant'Anna
1170. **Emma** – Jane Austen
1171. **Que seja em segredo** – Ana Miranda
1172. **Garfield sem apetite** – Jim Davis
1173. **Garfield: Foi mal...** – Jim Davis
1174. **Os irmãos Karamázov (Mangá)** – Dostoiévski
1175. **O Pequeno Príncipe** – Antoine de Saint-Exupéry
1176. **Peanuts: Ninguém mais tem o espírito aventureiro** – Charles M. Schulz
1177. **Assim falou Zaratustra** – Nietzsche
1178. **Morte no Nilo** – Agatha Christie
1179. **Ê, soneca boa** – Mauricio de Sousa
1180. **Garfield a todo o vapor** – Jim Davis
1181. **Em busca do tempo perdido (Mangá)** – Proust
1182. **Cai o pano: o último caso de Poirot** – Agatha Christie
1183. **Livro para colorir e relaxar** – Livro 1
1184. **Para colorir sem parar**
1185. **Os elefantes não esquecem** – Agatha Christie
1186. **Teoria da relatividade** – Albert Einstein
1187. **Compêndio da psicanálise** – Freud
1188. **Visões de Gerard** – Jack Kerouac
1189. **Fim de verão** – Mohiro Kitoh
1190. **Procurando diversão** – Mauricio de Sousa
1191. **E não sobrou nenhum e outras peças** – Agatha Christie
1192. **Ansiedade** – Daniel Freeman & Jason Freeman
1193. **Garfield: pausa para o almoço** – Jim Davis
1194. **Contos do dia e da noite** – Guy de Maupassant
1195. **O melhor de Hagar 7** – Dik Browne
1196(29). **Lou Andreas-Salomé** – Dorian Astor
1197(30). **Pasolini** – René de Ceccatty
1198. **O caso do Hotel Bertram** – Agatha Christie
1199. **Crônicas de motel** – Sam Shepard
1200. **Pequena filosofia da paz interior** – Catherine Rambert
1201. **Os sertões** – Euclides da Cunha
1202. **Treze à mesa** – Agatha Christie
1203. **Bíblia** – John Riches
1204. **Anjos** – David Albert Jones
1205. **As tirinhas do Guri de Uruguaiana 1** – Jair Kobe
1206. **Entre aspas (vol.1)** – Fernando Eichenberg
1207. **Escrita** – Andrew Robinson
1208. **O spleen de Paris: pequenos poemas em prosa** – Charles Baudelaire
1209. **Satíricon** – Petrônio
1210. **O avarento** – Molière
1211. **Queimando na água, afogando-se na chama** – Bukowski
1212. **Miscelânea septuagenária: contos e poemas** – Bukowski
1213. **Que filosofar é aprender a morrer e outros ensaios** – Montaigne
1214. **Da amizade e outros ensaios** – Montaigne
1215. **O medo à espreita e outras histórias** – H.P. Lovecraft
1216. **A obra de arte na era de sua reprodutibilidade técnica** – Walter Benjamin
1217. **Sobre a liberdade** – John Stuart Mill
1218. **O segredo de Chimneys** – Agatha Christie
1219. **Morte na rua Hickory** – Agatha Christie
1220. **Ulisses (Mangá)** – James Joyce
1221. **Ateísmo** – Julian Baggini
1222. **Os melhores contos de Katherine Mansfield** – Katherine Mansfied
1223(31). **Martin Luther King** – Alain Foix
1224. **Millôr Definitivo: uma antologia de *A Bíblia do Caos*** – Millôr Fernandes
1225. **O Clube das Terças-Feiras e outras histórias** – Agatha Christie
1226. **Por que sou tão sábio** – Nietzsche
1227. **Sobre a mentira** – Platão
1228. **Sobre a leitura *seguido do* Depoimento de Céleste Albaret** – Proust
1229. **O homem do terno marrom** – Agatha Christie
1230(32). **Jimi Hendrix** – Franck Médioni

1231. **Amor e amizade e outras histórias** – Jane Austen
1232. **Lady Susan, Os Watson e Sanditon** – Jane Austen
1233. **Uma breve história da ciência** – William Bynum
1234. **Macunaíma: o herói sem nenhum caráter** – Mário de Andrade
1235. **A máquina do tempo** – H.G. Wells
1236. **O homem invisível** – H.G. Wells
1237. **Os 36 estratagemas: manual secreto da arte da guerra** – Anônimo
1238. **A mina de ouro e outras histórias** – Agatha Christie
1239. **Pic** – Jack Kerouac
1240. **O habitante da escuridão e outros contos** – H.P. Lovecraft
1241. **O chamado de Cthulhu e outros contos** – H.P. Lovecraft
1242. **O melhor de Meu reino por um cavalo!** – Edição de Ivan Pinheiro Machado
1243. **A guerra dos mundos** – H.G. Wells
1244. **O caso da criada perfeita e outras histórias** – Agatha Christie
1245. **Morte por afogamento e outras histórias** – Agatha Christie
1246. **Assassinato no Comitê Central** – Manuel Vázquez Montalbán
1247. **O papai é pop** – Marcos Piangers
1248. **O papai é pop 2** – Marcos Piangers
1249. **A mamãe é rock** – Ana Cardoso
1250. **Paris boêmia** – Dan Franck
1251. **Paris libertária** – Dan Franck
1252. **Paris ocupada** – Dan Franck
1253. **Uma anedota infame** – Dostoiévski
1254. **O último dia de um condenado** – Victor Hugo
1255. **Nem só de caviar vive o homem** – J.M. Simmel
1256. **Amanhã é outro dia** – J.M. Simmel
1257. **Mulherzinhas** – Louisa May Alcott
1258. **Reforma Protestante** – Peter Marshall
1259. **História econômica global** – Robert C. Allen
1260. (33). **Che Guevara** – Alain Foix
1261. **Câncer** – Nicholas James
1262. **Akhenaton** – Agatha Christie
1263. **Aforismos para a sabedoria de vida** – Arthur Schopenhauer
1264. **Uma história do mundo** – David Coimbra
1265. **Ame e não sofra** – Walter Riso
1266. **Desapegue-se!** – Walter Riso
1267. **Os Sousa: Uma família do barulho** – Mauricio de Sousa
1268. **Nico Demo: O rei da travessura** – Mauricio de Sousa
1269. **Testemunha de acusação e outras peças** – Agatha Christie
1270. (34). **Dostoiévski** – Virgil Tanase
1271. **O melhor de Hagar 8** – Dik Browne
1272. **O melhor de Hagar 9** – Dik Browne
1273. **O melhor de Hagar 10** – Dik e Chris Browne
1274. **Considerações sobre o governo representativo** – John Stuart Mill
1275. **O homem Moisés e a religião monoteísta** – Freud
1276. **Inibição, sintoma e medo** – Freud
1277. **Além do princípio de prazer** – Freud
1278. **O direito de dizer não!** – Walter Riso
1279. **A arte de ser flexível** – Walter Riso
1280. **Casados e descasados** – August Strindberg
1281. **Da Terra à Lua** – Júlio Verne
1282. **Minhas galerias e meus pintores** – Kahnweiler
1283. **A arte do romance** – Virginia Woolf
1284. **Teatro completo v. 1: As aves da noite** seguido de **O visitante** – Hilda Hilst
1285. **Teatro completo v. 2: O verdugo** seguido de **A morte do patriarca** – Hilda Hilst
1286. **Teatro completo v. 3: O rato no muro** seguido de **Auto da barca de Camiri** – Hilda Hilst
1287. **Teatro completo v. 4: A empresa** seguido de **O novo sistema** – Hilda Hilst
1288. **Sapiens: Uma breve história da humanidade** – Yuval Noah Harari
1289. **Fora de mim** – Martha Medeiros
1290. **Divã** – Martha Medeiros
1291. **Sobre a genealogia da moral: um escrito polêmico** – Nietzsche
1292. **A consciência de Zeno** – Italo Svevo
1293. **Células-tronco** – Jonathan Slack
1294. **O fim do ciúme e outros contos** – Proust
1295. **A jangada** – Júlio Verne
1296. **A ilha do dr. Moreau** – H.G. Wells
1297. **Ninho de fidalgos** – Ivan Turguêniev
1298. **Jane Eyre** – Charlotte Brontë
1299. **Sobre gatos** – Bukowski
1300. **Sobre o amor** – Bukowski
1301. **Escrever para não enlouquecer** – Bukowski
1302. **222 receitas** – J. A. Pinheiro Machado
1303. **Reinações de Narizinho** – Monteiro Lobato
1304. **O Saci** – Monteiro Lobato
1305. **Memórias da Emília** – Monteiro Lobato
1306. **O Picapau Amarelo** – Monteiro Lobato
1307. **A reforma da Natureza** – Monteiro Lobato
1308. **Fábulas** seguido de **Histórias diversas** – Monteiro Lobato
1309. **Aventuras de Hans Staden** – Monteiro Lobato
1310. **Peter Pan** – Monteiro Lobato
1311. **Dom Quixote das crianças** – Monteiro Lobato
1312. **O Minotauro** – Monteiro Lobato
1313. **Um quarto só seu** – Virginia Woolf
1314. **Sonetos** – Shakespeare
1315. (35). **Thoreau** – Marie Berthoumieu e Laura El Makki
1316. **Teoria da arte** – Cynthia Freeland
1317. **A arte da prudência** – Baltasar Gracián
1318. **O louco** seguido de **Areia e espuma** – Khalil Gibran
1319. **O profeta** seguido de **O jardim do profeta** – Khalil Gibran
1320. **Jesus, o Filho do Homem** – Khalil Gibran
1321. **A luta** – Norman Mailer
1322. **Sobre o sofrimento do mundo e outros ensaios** – Schopenhauer

lepmeditores
www.lpm.com.br
o site que conta tudo

IMPRESSÃO:

PALLOTTI
GRÁFICA

Santa Maria - RS | Fone: (55) 3220.4500
www.graficapallotti.com.br